체력과 행복을 키우는 **인간의 삶**

체력과
행복을 키우는
인간의 삶

영혼의 활동과 인간의 삶

의학박사 **안상규** 지음

도곡

　60대 중반 넘어서 심각한 건강상 문제를 겪으면서 평생 해오던 일을 접고, 단전丹田호흡 수련을 처음으로 시작했다. 건강 관리 차원에서 단전호흡 수련을 시작했지만 단기간에 걸쳐 몸과 마음의 변화를 겪으며 현대의학으로 설명하기 어려운 여러 가지 생리적 경험을 하게 되었다. 수련의 경지가 깊어지며 몸의 생리적 변화가 더욱 커졌다. 생리적인 변화는 의학적인 상식과 삶의 의미를 근본적으로 바꾸기에 충분하다고 생각되어 기록으로 정리하게 되었다.

　현대의학이 잘 아는 폐호흡과 혈액순환과는 별도로 단전호흡과 기 순환이 누구에게나 이루어지고 있음을 밝히고, 그동안 단전호흡 수련에서 얻은 경험을 〈건강하고 행복하게 사는 단전호흡법〉도서출판 亞松, 2009과 〈생로병사의 비밀 단전호흡과 기氣순환〉태웅출판사, 2011을 통하여 알렸다.

　〈체력의 생성과 심장의 기능을 극대화하는 호호! 기 순환 운동법〉도서출판 도곡, 2015을 통하여 단전호흡과 기 순환이 생체 전기를 생산하여 체력을 만드는 과정임을 밝혔다. 체력의 생산을 극대화하고 심장을 효과적으로 단련할 수 있는 운동법을 공개했다. 〈체력과 수명을 늘리는 방법〉도서출판 도곡, 2015에서 체력과 수명의 의미, 삶의 방향과 방법, 자세를 유지하고 교정하는 방법, 면역력을 강화하는 방법, 활성산소 생성을 억제하는 방법, 체력을 유지하는 방법, 깨달음에 도달하는 방법 등 삶의 원리를 제시했다.

인간은 체력만 키우는 삶을 살아갈 수는 없다. 체력을 효과적으로 키워 삶의 목적을 달성하는 것이 더 중요하다. 〈체력과 행복을 키우는 인간의 삶〉에서는 영혼의 활동과 인간의 삶을 다룬다.

먼저 인간과 영혼, 인간과 창조주, 사랑의 에너지, 창조주와 우주의 관계에 대해 정의한다. 다음, 영혼의 활동이 인간의 삶에 미치는 영향, 이웃과 더불어 살아가는 방법, 건전하고 건강한 삶을 지속하는 방법에 대해 논한다.

〈체력의 생성과 심장의 기능을 극대화하는 호!호! 기 순환 운동법〉, 〈체력과 수명을 늘리는 방법〉, 그리고 이 책은 그동안 필자가 경험한 생리적 현상들과 몸의 생리를 정리한 것이며, 나아가 삶의 생리에 대한 소견을 밝힌 것이다.

필자가 경험한 생리적 현상에 있어 단초가 되는 것은 인간의 체력이다. 현대의학은 체력의 생산과 운영을 영혼이 직접 담당하는 것을 모른다. 현대의학에서 말하는 체력은 영양분의 분해과정에서 생성되며 ATPadenosine triphosphate가 ADPadenosine diphosphate, AMPadenosine monophosphate로 바뀌며 생성되는 에너지라고 정의한다. 현대의학이 증명 가능하고 눈에 보이는 에너지 형태만 다루기 때문에 체력에 대해 이렇게 정의하는 것이다. 하지만 이 에너지는 전기에너지가 아니며 화학반응으로 생성된 열에너지로 주로 체온의 유지에 사용될 뿐, 체력으로 이용되지는 않는다.

필자는 '생체전기'라는 개념을 도입해 체력과 생명활동이 생체전기로 이루어짐을 증명하고자 한다. 이를 증명하고자 함은 체력을 생성하고 소모하는 원리를 밝혀 보다 건강한 삶을 오래도록 유지하게 하기 위함이다.

현대의학에서도 뇌파 측정에 전기를 이용한다. 심전도나 근전도도 전기적 현상으로 측정하는 것이다. 심장이나 뇌나 근육은 생체전기를 생산하지 못하지만 작동은 생체전기로 이루어진다. 우리가 몸을 움직이고 생명 활동을 하는 데 쓰이는, 우리의 수명을 좌우하는 에너지는 열에너지가 아닌 생체전기 에너지이다. 우리 몸에는 생체전기를 생산하는 체계가 별도로 존재하는데, 바로 단전과 경락체계이다. 단전호흡으로 피부의 기공과 경혈을 통해 음기와 양기를 흡수하고 이 기가 상단전과 하단전을 순환하면 생체전기가 되는 것이다.

　대체로 30세가 지나면 체력을 늘리기가 어렵고 나이 들어갈수록 더욱 어렵다. 하지만 체력의 생성 원리를 알게 되면 나이와 상관없이 체력을 늘릴 수 있기에 이를 증명하여 알리고자 하는 것이다.

　평균 수명은 늘어났지만, 삶의 질이 보장된 것은 아니다. 연명이 중요한 것이 아니라 건강을 유지한 채 의미 있는 삶을 지속해야 한다. 함께 고민했으면 한다. 나아가 건강을 되찾고 유지하는 방법을 함께 누리고 전하기 바란다.

2015년 12월

의학박사 안상규

차례

1

인간과 영혼과 종교

나는 누구이며, 근본이 무엇인가를 알기 위해 삶을 뒤돌아보고 그 내면을 생각하면 결국 **창조주**[1]로 귀착된다. 인간이 진정으로 바라고 추구하는 모든 것들은 창조주가 인간에게 주는 선물이며 보상이며 은총이다. 인간은 나이 들어가며 태어나기 전 고향으로 돌아가고 싶어 한다. 돌아간다는 것은 원점인 시작으로 돌아간다는 뜻이다. '참 나'가 나의 근본이며 원점이다.

'참 나'는 진아眞我로 '얼 나'이며 나의 육신이라는 집에서

---

[1] 인류는 탄생 이후 인간뿐 아니라 우주 만물의 생성과 소멸을 주관하는 절대자는 분명히 존재한다고 생각해 왔다. 창조주創造主, 조물주造物主, 천주天主, 신神, 알라, 하느님, 하나님 등 나라마다 종교에 따라 용어를 다르게 사용하고 있으나 의미와 본질은 동일하다. 특정 종교와 연관시키지 않기를 바란다.

지금까지 나와 함께 산다. '참 나'는 누구인가? '참 나'는 영적
자아靈的自我이다. '참 나'는 나의 얼이며 본성本性이며 영혼靈
魂이다. 영혼은 깨달음과 완성을 이루기 위하여 많은 배움과
경험, 깨달음과 교훈을 터득하는 과정에 있는 영적인 자아自我
이다.

사전적 의미의 영혼은 육체와 구별되어, 육체에 머무르면서
마음의 작용을 맡고 생명을 부여하고 있다고 여겨지는 비물질
적 실체이다. 인간은 분명히 동물과는 다르게 본능적으로만 살
아가지 않는다. 인간은 동물적이며 물질적, 정신적, 감각적인
존재임과 동시에 사랑과 진·선·미를 추구하는 비물질적인
요소를 지닌 존재이다.

인간의 생명력과 면역력, 환경에 적응하는 적응력은 모든 생
명체 중에서 가장 강하다. 인간은 어떠한 다른 존재도 가질 수
없는 능력의 소유자이며 만물을 지배할 수 있는 능력의 소유자
이다. 인간은 스스로 품성品性을 지니고 있는 사회적 동물이며,
생각하는 갈대이며, 양심을 소유한 이성적 동물이며, 만물의
영장이다. 인간은 때로는 갈대와 같은 나약한 존재이지만 생각
한다는 점에서, 양심과 이성을 소유해 다른 동물과는 달리 위
대하다. 양심과 이성은 우리에게 무엇이 진실하고 무엇이 허위
인가를 가르쳐 보이기 위하여 주어졌다. **양심과 이성은 창조주**

의 뜻을 따르게 하기 위하여 창조주가 우리에게 영혼과 함께 부여한 것이다. 양심과 이성을 소유한 영혼을 갖기에 인간이 만물의 영장이다. 인간은 양심과 이성이 하라는 대로 살아가면 영혼이 활동하여 **사랑의 에너지[2]**를 받을 수 있어 행복과 영생을 누린다.

인간의 육신은 창조주의 뜻을 실현하는 도구이다. 창조주는 인간에게 영혼을 부여하고 영혼에게 양심과 이성을 부여하여 인간으로 하여금 해야 할 일을 하게 한다. 해야 할 일은 창조주의 뜻에 일치하는 일이며 하지 말아야 할 일은 어긋나는 일이다. 선한 일을 행할 때 창조주가 자신의 사업을 수행하기 위한 도구로 우리를 쓰고 있음에 지나지 않는다. 인간은 창조주의 뜻을 실현하기 위한 도구에 지나지 않는다.

---

2 동양철학의 기氣이며 현대물리학의 에너지-물질이다. 단순한 에너지가 아니라 창조주의 마음이 포함된 에너지이므로 사랑의 에너지이다. 우주 만물을 생성하고, 암이나 질병을 치유하고 바이러스나 슈퍼박테리아도 이길 수 있는 신성한 에너지이며, 인성의 마음을 천성의 마음으로 순화할 수 있다. 불행을 행복으로, 절망을 희망으로, 불가능을 가능으로, 부정을 긍정으로, 노화를 젊음으로, 불가능을 가능으로, 헤어짐을 만남으로, 저주를 사랑으로, 원수를 친구로 만들 수 있고 어떠한 질병이라도 치유할 수 있는 신성한 에너지이며 만병통치약이다. 사랑의 말 한마디가 죽을 사람을 살리기도 하고 천 냥 빚을 갚기도 한다. 사랑의 에너지로 치유되지 않는 질환은 없고 해결되지 않는 일도 없다. 사랑의 에너지를 받아야 건강과 젊음, 기쁨과 행복을 누린다. 사랑의 에너지가 우주 만물의 생로병사를 좌우하고 창조주의 몸을 이루는 궁극적 단위로 창조주의 몸을 이루는 창조주 자신이기 때문이다. 모든 생명체는 창조주의 은총과 사랑으로 생명을 유지한다.

기독교의 성령은 내재신內在神이다. 성경에도 육신은 성령의 성전이다. 영혼이 사는 집이라는 의미이다. 인간이 창조주의 몸의 일부이며 인간 속에 창조주의 절대성이 들어 있음을 말한다. 불교의 부처님은 이 세상을 구원하러 온 것이 아니라 한다. 이 세상이 원래 구원되어 있음을 가르쳐 주기 위하여 왔다는 것이다. 영생이나 열반에 도달할 수 있는 영혼의 존재를 깨우치고 알리러 온 것이다. 인간은 원래 창조주의 분신인 영혼을 갖고 태어나기 때문이다. 현실을 있는 그대로 보지 못했기 때문에 사바세계라고 했지만 현실을 바로 보면 바로 극락세계라는 것이다. 원래 사바세계 이대로가 극락세계이다. 영혼이 사랑을 배우고 실천하여 깨달음을 얻고 영생을 누릴 수 있는 세계이기 때문이다. 영혼이 실제로 자라고 성숙되며 영생을 얻는 세계이므로 극락세계로 이어지는 것이다. 영계에서는 영혼이 자라거나 성숙되지 못하기 때문이다. 불공의 근본 조건도 자비를 베풀고 남모르게 남을 도와주는 것이라 한다. 부처 앞에 공양함을 불공이라 하지만 사랑을 실천하며 나누는 삶이 진정한 불공이다.

종교宗敎는 일반적으로 초인간적 · 초자연적인 힘에 대해 인간이 경외 · 존중 · 신앙하는 일의 총체적 체계이다. 종교는 가르침의 근본이며 중심이다. 모든 종교의 본질은 나는 무엇을 위하여 사는가, 그리고 나를 둘러싼 무한한 세계와 나는 어떤 관계에 있는가라는 물음에 대한 해답에 있다.

종교는 신과 인간의 관계이며 종교의 본질은 인간의 삶의 목적과 방법을 제시하는 데 있다. 종교의 목적은 인간이 영원한 행복을 얻도록 절대적이고 무한한 세계로 들어가도록 하는 것이다. 상대 유한의 세계에서 절대 무한의 세계로 가는 방법을 가르쳐 주는 것이다. 인성의 나[自我]를 천성의 나[眞我]로 바꾸는 방법을 가르쳐 주는 것이다. 인간이 집단을 이루며 살아가는 곳에 종교가 따르는 이유이다.

모든 종교의 본질적 원리는 한결같이 '이웃에 대한 사랑'이다. 이웃에 대한 사랑을 통하여 인생의 완성이 이루어지기 때문이다. 영혼이 활동해 사랑의 에너지를 되돌려 받아야 영혼이 자라고 성숙해 양기의 순도 차원이 높아져 영생을 누릴 수 있기 때문이다.

모든 종교의 가르침도 선하고 바르게 살고 서로 사랑하라는 것이다. 창조주가 사랑 자체이므로 창조주의 분신인 인간도 사랑이라야 하기 때문이다.

인간이 본능적으로만 살아간다면 동물만도 못한 삶이며 인간다운 삶이 아니다. 인간다운 삶을 살아가려면 영혼이 활동해 사랑의 에너지를 받아 체력을 스스로 생산하고 인간다운 일을 해야 한다. 창조주의 뜻에 일치하는 일이다. 창조주의 뜻에 일치하는 일은 창조주의 몸인 인간뿐 아니라 자연과 다른 생명체를 돌보고 보살피는 일이다. 창조주의 몸과 일치를 이루고 조화되는 삶을 사는 것이 사랑이며 인간이 해야 할 일이다. 창조주의 몸은 유형무형한 만물이다. 인간이 창조주와 함께 하지 않을 수 있는 곳은 아무데도 없다. 인간뿐 아니라 자연과 다른 생명체와 조화하고 상생하며 일치를 이루며 하나가 됨이 사랑이다. 나의 몸과 마음과 정신을 집중하여 하나로 만들어도 사랑의 에너지를 받는다. 나를 키우기 위하여 나를 먼저 사랑하라는 이유이다. 내 몸을 사랑하면 몸이 사랑의 에너지를 받는다. 사랑의 에너지를 받아 체력을 생산한다.

현대과학이나 철학이나 종교도 인간은 누구나 영혼을 받고 태어난다고 생각한다. 그러나 영혼의 역할이나 활동이나 존재 이유를 정확히 모른다. 영혼은 눈에 보이지 않아 신의 영역으로 간주해 신성시할 뿐이다.

영혼은 모든 사람의 내부에 살아 있다. 하지만 모든 사람이 그것을 아는 것은 아니다. 그것을 아는 사람의 삶은 기쁘고 행복하다. 그러나 그것을 알지 못하는 사람의 삶은 불행하다. 영혼의 삶은 탄생에서 죽음에 이를 때까지 점점 더 크게 성장해 성숙하며 높이를 더해간다. 사랑의 순도인 양기의 순도를 높이는 것이다. 우리는 이를 '인격을 도야한다'고 말한다.

진화론이 각광을 받으며 일부 과학자들은 인간을 고등 동물
에서 진화한 존재로 생각하기도 한다. 이들의 주장과 함께 과
학의 발달과 물질 만능의 시대로 접어들어 영혼에 대한 생각은
인간의 뇌리에서 사라질 위기에 처해 있다. 인간게놈프로젝트
human genome project도 완성되고 장기 이식이 성행되며, 복제
동물을 만드는 등 인간이 창조주의 영역에 도달한 것으로 착각
할 정도가 되어 무엇이든 다 할 수 있다고 생각한다. 노화된 장
기를 교체하고 뇌까지도 이식하고 유전자 조작으로 수명을 원
하는 대로 늘릴 수 있을 것으로 생각한다. 컴퓨터 기술의 발달
로 인간이 달에도 가고 우주로 나가며 인간이 주인인 것으로
착각해 기고만장해진 것이다.

신의 언어라고 말하는 DNA를 규명하고 DNA를 조작하여
질병을 치료하고 수명을 늘릴 수 있다 해도 인간이 창조주의
영역에 도달한 것은 아니다. 영혼을 인식할 수 있다 해도 창조
주의 영역에 도달한 것은 아니다. 아무리 과학이 발달하고 지
능이 높아지더라도 인간은 생명을 창조하거나 생로병사를 마
음대로 조절하지 못한다. 인간은 창조주의 분신인 영혼을 소유
하지만 피조물이라는 한계 때문이다. 먹어야 하고 숨을 쉬는

한 피조물인 것이다. 사랑의 에너지를 받아야 존재를 유지할 수 있어 피조물이다. 태양은 양기를 방출하고 땅은 음기를 방출하여 주지만 소멸되므로 피조물이다.

인간은 창조주로부터 영혼을 받고 태어난 영적인 동물이며 창조주의 분신이다. 인간이 만물의 영장인 이유이다. 만물의 영장이므로 삶의 목표가 있다. 영혼의 존재 이유가 있다. 인간의 육신은 영혼이 걸친 겉옷에 불과하며 창조주의 뜻을 실현하는 도구이다. 창조주의 뜻을 실현하여 영혼이 영생을 얻기 위하여 인간의 몸으로 태어난다. 영생을 얻는다 함은 하늘나라라는 자연에서 영혼의 존재를 영원히 유지하는 것이다. 영혼의 존재 이유가 없어지면 인간은 삶을 마감해야 한다.

창조주의 몸인 인간뿐 아니라 자연과 다른 생명체를 돌보고 보살피는 일이 사랑이며 인간이 해야 하는 일이다. 창조주의 몸을 보살피고 돌보는 행위가 사랑이다. 창조주의 몸과 조화를 이루고 일체가 되고 하나가 됨이 사랑이다. 지구촌의 모든 인간은 영생을 함께 누릴 이웃이며 내 몸같이 사랑해야 할 존재이다.

창조주는 사랑이며 진·선·미 자체이다. 인간은 사랑과 진·선·미를 추구하는 삶을 살아야 사랑의 에너지를 되돌려 받는다. 사랑을 배우거나 배운 사랑을 실천하는 일을 하면 사랑의 에너지를 되돌려 받는다. 사랑의 마음이라야 사랑의 에너지를 받는다. 일을 해서 사랑의 에너지를 되돌려 받아야 영혼이 자라고 성숙하며 삶의 목적이 이루어진다. 사랑의 에너지를 되돌려 받으면 건강과 젊음, 기쁨과 행복, 번영과 성공을 누린다. 인간의 삶의 목적은 행복을 누리는 것이다. 영원한 행복은 창조주와 함께 영생을 누리는 것이다.

현대의학은 인간이 생각하고 판단하고 행동함을 결정하는 주체는 뇌라고 생각한다. 그렇다면 뇌는 어떤 기준으로 왜 그렇게 판단하고 결정을 내리는 것일까? 인간 사회에서 이루어지는 현상을 보면 뇌와 행동을 주관하는 상위의 주체가 누구에게나 존재함을 부정할 수가 없다. 그 존재가 바로 영혼이다. 인간은 영혼을 소유함으로써 양심과 이성을 갖는다.

영혼을 소유함으로써 인간은 창조주의 뜻에 일치하는 삶을 살아야 한다. 창조주의 뜻에 일치하게 살아가는 것만이 인간의 바른 마음이며 자세이며 삶이다. **인간의 삶에서 옳고 그름의 기준은 창조주의 뜻과 일치 여부이다.** 개인뿐 아니라 단체나 기업, 국가, 정치, 문화에도 적용되어 해야 할 일이 있고 하지 말아야 할 일이 있다. 해야 할 일은 창조주의 뜻에 일치하는 일이며 하지 말아야 할 일은 어긋나는 일이다. 창조주의 뜻에 일치할 때 바르고 선함이며, 어긋날 때 잘못이며 악이며 죄를 짓는 행위가 된다. 실제로 인간은 바른 마음과 자세로 바른 삶을 살아야 장수를 누린다. 개인에게는 생로병사의 현상으로, 단체나 기업, 국가, 정치, 문화에는 흥망성쇠 현상으로 나타난다.

인간의 몸에서 사랑의 에너지를 순환시키는 행위가 영혼의 활동이다. 단전호흡으로 음기와 양기를 받아들여 순환시킬 수 있는 능력이 체력이며 영혼의 활동 능력이다. 영혼의 활동능력이 체력이다. 영혼이 지속적으로 활동하지 못하면 죽는다. 생명체 내에서 사랑의 에너지가 움직이는 현상이 기운이며 생체전기이다. 뇌와 심장과 근육은 생체전기로 작동되는 것이다. 기운이 없으면 먹지도 못하고 죽는다. 인간의 기운을 운영하는 주체가 영혼이다.

동물은 영혼이 없으므로 생체전기를 스스로 생산하지 못한다. 부모로부터 받은 정기精氣인 선천기를 소모해 발전기를 돌려 생체전기를 생산해 써야 한다. 체력의 소모는 수명의 단축을 의미한다. 수명은 단축되기만 하고 늘이지는 못한다. 인간에게는 노익장이란 말이 있어도 동물세계에서는 노익장이 있을 수 없는 것이다.

정精은 육신을 지배하는 힘의 원천이며 기氣는 정신을 지배하는 힘의 원천이다. 정기는 육신과 정신을 지배하는 힘의 원천이며 생체전기로 충전된 배터리이다. 배터리를 전원으로 하여 생체전기를 생산하는 발전기의 시동을 거는 것이다. 선천기는 소모되기만 하고 수명은 단축되기만 한다. 인간은 영혼이 활동하면 생체전기를 스스로 만들 수 있어 인간의 정기인 선천 기는 생성되기도 하고 소모되기도 한다.

인간은 영혼이 활동해 사랑을 배우거나 실천하는 일을 해야 사랑의 에너지를 되돌려 받는다. 물질문명이 발전함에 따라 특정 종교에서나 영혼의 존재를 믿고 있는 실정이다. 실제로 영혼이 인간의 몸에서 존재를 유지하고 활동할 수 있어야 인간이 인간다운 삶을 살아간다.

인간은 서로 나누고 베풀고 사랑하며 참되고 선하며 아름답게 살아야 영혼이 활동해 사랑의 에너지를 받는다. 바른 마음과 자세로 바른 삶을 살아야 한다. 바른 마음과 삶이라야 사랑의 에너지를 받고 바른 자세라야 순환이 잘 된다. 자세가 바르지 않으면 기 순환에 저항을 초래해 질병과 소멸로 이어진다.

인간은 사랑의 에너지를 되돌려 받아야 건강과 젊음, 기쁨과 행복, 번영과 성공을 누린다. 건강과 젊음, 기쁨과 행복, 번영과 성공은 모두 사랑의 피드백이다. 인간의 삶의 목표는 사랑을 통해야 달성할 수 있다. 다른 사람에게 행복을 제공한 만큼 나의 행복과 성공으로 되돌아오고 삶의 실적이 된다. 누구나 서로 돕고 나누고 베푸는 삶을 살아가면 사랑의 에너지를 무한정 받아 건강과 행복과 성공과 영생을 누린다.

2

인간과 창조주

인간이나 박테리아를 포함하는 모든 생명체의 구성 성분은 지구의 땅이나 대기의 구성 성분과는 전혀 다르다. 땅의 구성 성분은 주로 산소 50%, 철 17%, 규소 14%, 마그네슘 14%, 황 1.6%이며 대기의 구성 성분은 질소 78%, 산소 21%, 아르곤 0.93%, 탄소 0.01%, 네온 0.002%이다.

태양의 구성 성분은 수소 93.4%, 헬륨 6.5%, 산소 0.06%, 탄소 0.03%, 질소 0.01%이다. 인간의 구성 성분은 수소 63%, 산소 26%, 탄소 6.4%, 질소 1.4%, 인 0.1%이다. 박테리아의 구성 성분은 수소 61%, 산소 21%, 탄소 10.5%, 질소 2.4%, 칼슘 0.23%이다. 곧, 우주의 구성 성분의 3/4이 수소이다.

태양은 인간의 눈으로 보여 별로 커 보이지 않지만 생각하는 것 보다 대단히 크다. 태양은 태양계 전체 질량의 99.8%를 차지하는 태양계의 주인이다. 태양에서 두 번째로 많은 헬륨 원소는 휘발성과 안전성이 뛰어나 다른 원소와 화합을 하지 못한다. 그러므로 인간이나 박테리아에는 헬륨 원소가 없다. 헬륨 원소를 제외하면 태양과 인간 및 박테리아에서 함량이 가장 많은 원소는 수소, 산소, 탄소, 질소 등의 순서로 태양이나 인간 모두 똑같다. 태양이 형성된 물질과 같은 물질에서 인간이 태어났다는 것을 의미한다. 모든 생명체나 인간이 지구의 땅이나 공기에서 온 것이 아니라는 사실을 암시한다.

원시 태양계 물질에서 태양과 행성, 위성, 혜성들이 생기고 또 이 물질 속에 들어 있던 생명의 씨앗이 혜성을 통해 지구에 들어와서 지상에 생명체가 태어났다는 것이다. 태양계 물질의 성분은 별이나 성간星間 물질의 성분과 같기 때문에 결국 우리 인간도 우주의 작은 별에 해당한다고 볼 수 있다. 즉 제4세대의 성간 물질에서 4세대의 별, 태양, 인간이 모두 탄생했다는 것이다. 그러므로 우리 인간은 우주에서 제4세대의 별인 셈이다. 태양계가 태어난 원시 성운은 제1세대에서 제3세대에 이르는 먼 조상 별들이 죽고 또 태어나면서 흩뿌린 물질로 이루어진 것이다.

　대우주인 창조주의 몸은 천억 개의 은하로 이루어지고 한 개의 은하계에는 천억 개의 별이 있다. 또한 우주의 크기는 빛으로 138억 년을 가야 하는 크기이다. 초당 30만 km로 138억 년을 가야 한다니 인간의 두뇌로 판단이 되지 않는 크기이다.

　우주 만물은 모두 전자기체이다. 창조주는 대우주인 우주컴퓨터이며 인간은 소우주로 개인 컴퓨터이다. 개인 컴퓨터에 기록되는 정보는 우주컴퓨터에 동시에 기록된다. 하나의 인간도 창조주의 몸의 일부이므로 인간의 몸으로 사랑의 에너지가 들어오고 나가는 정보가 우주컴퓨터에 기록된다. 우주의 사랑의 에너지 양이 일정하기 때문이다.

　우주 만물은 사랑의 에너지로 구성되고, 운행되어 생성과 소멸을 지속한다. 시작도 끝도 없이 생성되는 만큼 소멸되고, 소멸되는 만큼 생성되어 항상성을 유지하는 것이 창조주의 몸이다. 사랑의 에너지가 운행되는 원리가 사랑의 법칙이며 자연법칙이며 인과법칙이다. 사랑의 에너지를 받으면 생성되고 받지 못하면 소멸된다.

　별은 태어날 때의 질량에 따라 일생을 살아가는 행로가 결정되며 생로병사의 과정을 거친다. 별이나 모든 생명체도 자연법칙에 절대 순응하며 생로병사의 현상을 겪으며 살아간다. 인간도 이들과 함께 생로병사를 겪으며 살아가는 우주의 일환이며 우주에서 일어나는 자연현상의 일부인 것이다.

대우주인 창조주와 소우주인 인간의 구성 성분과 운행 원리는 동일하다. 창조주와 인간은 일체이므로 우아宇我 일체이다. 우주는 시작도 없고 끝도 없이 생성과 소멸, 팽창과 수축을 되풀이 하며 생성되는 것만큼 소멸되고 소멸되는 것만큼 생성되어 항상성을 유지한다. 질량불변의 법칙과 에너지보존법칙이 적용되기 때문이다.

하늘이 있고 사람이 따로 있는 것이 아니라 하늘이 변한 것이 사람이니 사람이 곧 하늘이다. 하늘과 땅이 하나이며 우주와 나도 일체이다. 도道는 하늘에 이르는 길이며 하나이되 하늘에 있으면 천도天道, 땅에 있으면 지도地道, 사람에 있으면 인도人道이니 나누면 삼극三極이 되고 합치면 한 근본이 된다. 하늘과 땅과 사람은 하나이라 사람은 하늘과 땅의 본심을 잃지 않으면 천지만물의 근본이 나와 일체를 이루므로 도道를 통한다. 땅도 사람도 모두 하늘의 이치와 상통하여 하늘과 땅, 인체의 운행이 모두 같은 이치로 이루어진다. 하늘마음으로 하늘의 뜻에 일치하게 살아갈 때 하늘과 일체가 되고 영생으로 이어진다. 인류문명의 시작을 이루었던 우리의 조상들의 가장 오래된 경전인 〈천부경天符經〉과 〈삼일신고三一神誥〉에서 이미 이를 밝히고 있다.

소우주인 인간의 몸에는 50~60조 개의 생명 활동을 하는 세포와 그 수의 두 배에 이르는 박테리아와 바이러스가 함께 살아간다. 뿐만 아니라 주위에는 도움을 주기도 하고 위해를 주며 살아가는 많은 생명체가 존재한다. 이들 하나하나도 모두 생명체이므로 자신이 사랑의 에너지를 이용하여 생명 활동을 한다. 창조주는 이들 하나하나에도 사랑의 에너지로 머물러, 생명 활동을 주관한다. 이들이 없다면 인간도 살아갈 수가 없다. 이들과 서로 도우며 협력하며 상생하며 살아갈 때 건강한 삶이 될 수 있다.

홀로 생존을 유지할 수 있는 생명체는 존재하지 않는다. 협력하며 상생하지 못하고 구성원이 자기의 이익을 챙기려 하면 소멸로 이어지는 것이다. 나누고 베풀면 사랑의 에너지를 받아 생성으로 이어지고, 자기의 이익만 챙기려 하면 사랑의 에너지를 받지 못해 소멸로 이어지는 것이다. 생명체가 생존을 유지한다는 의미는 생성과 소멸을 지속한다는 의미이다. 생성이 소멸보다 적으면 성장으로 이어지고 소멸이 생성보다 많으면 위축과 죽음으로 이어지는 것이다. 우주 만물은 사랑의 에너지를 받으면 생성으로, 받지 못하면 소멸로 이어진다.

각종 식물과 동물들이 생존 경쟁을 하며 숲을 이루듯이 인간

의 몸도 하나의 숲과 같은 것이다. 사랑의 에너지를 받아야 숲
도 번창하고 받지 못하면 황폐화된다. 인간의 삶이 이러하며
나누고 베푸는 삶을 살아갈 때 사랑의 에너지를 받아 번창하며
수명을 누린다. 몸을 이루는 구성원 하나하나도 모두 사랑의
에너지로 이루어지고 사랑의 에너지를 받아야 생명 활동이 가
능해진다. 구성원 모두가 서로 도우며 협력하여 상생할 때 번
창한다. 구성원이 협력과 상생 없이 거두려 하고 자기의 이익
만 챙기려 하면 전쟁이 일어나고 인간이 패하면 소멸로 이어진
다. 인간의 몸에서도 적자생존 법칙이 적용되는 것이다.

사랑의 에너지는 사랑 자체이다. 기는 사랑의 에너지이며 창
조주 자신이다. 인간은 창조주의 사랑의 에너지로 움직이며 살
아간다. 모든 생명체의 생명현상은 창조주가 주관하며 창조주
의 사랑을 받지 못하면 잠시도 살아남지 못한다.

3
창조주와 영, 영계

기독교에서 천국이라고 말하고 불교에서 중심하늘이라 말하는 우주의 중심인 영계靈界에서 영靈은 창조주의 분신으로 창조주와 함께 존재를 유지하며 영원한 삶을 살아간다. 영계는 우주 태풍의 눈에 해당하는 우주 전체의 중심이다. 우주의 빛의 중심이며 양기의 순도가 높은 존재만이 존재를 유지한다. 현대 물리학이나 천문학에서도 우주의 중심이 있을 것이라 생각하지만 찾지 못한다.

인간이 짐작하고 있는 우주의 크기는 빛의 속도인 초당 30만km의 속도로 138억 년을 가야 우주의 가장자리에 도달할 수 있는 크기이다. 인간이 소속된 은하계의 크기가 10만 광년의 거리이며 우주의 중심 은하계를 한 바퀴 도는 데 2억 5천만 년이 걸린다 하므로 우주의 중심이 너무 크고, 인간의 인식력이 도달하지 못해 우주의 중심을 찾지 못하고 있다.

우주 만물이 우주에서 존재하려면 회전해야 하고 내부에서도 기의 순환이 이루어져야 한다. 사랑의 에너지로 이루어지므로 내부에서 사랑의 에너지가 순환되어야 존재를 유지한다. 존재를 유지하지 못하면 사랑의 에너지로 되돌아간다. 입자는 음양이 바뀌는 전기현상이며 내부에서 음양이 순환해야 존재를 유지한다. 생명체는 음기와 양기로 이루어지고 내부에서 음기와 양기가 순환되어야 존재를 유지한다. 우리 몸에서도 사랑의 에너지인 음기와 양기가 순환할 수 있는 능력이 체력으로 나타난다. 체력이 떨어지다가 없어지면 죽음을 의미한다.

우주 자체도 태풍의 소용돌이처럼 돌며 내부에서도 순환이 지속된다. 일천억 개의 은하계에서 회전의 중심을 이루는 은하계의 거대한 소용돌이의 중심이 우주 태풍의 눈이며 우주의 중심이며 중심하늘이다. 기독교에서는 천국이라 하고 불교에서는 중심하늘이라 한다. 창조주와 영이 함께 사는 영계靈界이다. 창조주는 영계와 우주 전체를 주관한다.

스웨덴의 **스베덴보리**1688~1772는 자연과학을 연구하여 광산학자로서의 권위를 인정받고 아이작 뉴턴과 같은 최고의 과학자들 반열에 올랐으나 57세에 심령적 체험을 겪은 후 시령자視靈者, 신학자로 전향하여 27년간 영계를 자유자재로 오가며 지옥과 천국을 체험했고 그 모든 것을 기록으로 남겼다. 그에 의하면 영계에는 영들이 산다. 땅 위에서는 육신에 영체가 거주하고 있으며, 생명은 모두 영체 쪽에 있다. 육신은 영체의 도구일 뿐이다. 사람이 죽으면 영체는 분리되어 영계로 이동해 영생하게 된다. 영계에도 태양이 있고 신비한 힘을 가지며 우주 전체로 방사된다. 영계에는 시간과 공간이라는 개념이 없다. 건전한 사회생활이 천국 가는 기초가 된다. '창조주를 사랑하라. 네 이웃을 네 몸과 같이 사랑해라. 매사에 양심을 지켜라. 남을 심판하지 마라. 자기 생명까지 희생하는 사랑은 사랑의 극치이다.' 이웃 사랑은 보다 큰 대상을 위할수록 그 가치가 더한다. 개인보다는 사회, 사회보다는 민족, 민족보다는 국가, 국가보다는 세계를 위하는 이웃 사랑이 더 가치가 있다.[3]

인간의 눈으로 보는 영계는 빛의 세계이며 마음과 정신의 세계이다. 천국은 마음의 세계이다. 빛의 밝기에 차원이 다양하며 영은 자기의 양기의 순도에 따라 일치하는 차원에 머문다.

---

3 스베덴보리연구회 편역, 『스베덴보리의 위대한 선물』, 다산북스, 2010

현대물리학의 물질 생성이론으로 10차원의 끈 이론과 이를 통합한 11차원의 M-이론이 있다. 한당의 〈천서天書〉에 의하면 영계에도 11개 천계天界가 있다고 한다. 조상계祖上界, 전생계前生界, 도인계道人界, 만물일체계萬物一體界, 고향성계故鄕星界, 무언계無言界, 다계多界, 종천계終天界, 삼도계三道界, 무극대도계無極大道界, 천신계天神界이다.

아래 차원에 존재하는 영은 위 차원의 영의 세계를 모른다고 한다. 자기보다 더 밝은 빛은 볼 수가 없기 때문이다. 양기의 순도는 사랑의 순도이며 영의 양기의 순도 차원이 높을수록 창조주와 가까이 머물고, 양기의 순도 차원이 떨어질수록 창조주와 멀리 머물게 되어 영생을 잃고 소멸된다.

영의 양기의 순도 차이는 인간의 인격도야에 따라 생각하는 정도나 차원이 다른 것과 동일하다. 아기가 어른이 되면서 생각이 달라지고 성숙되며 깨달음의 차원이 달라지는 것과 같다. 깨달음에도 차원이 다양하다. 인간의 삶의 과정은 사랑을 배우거나 실천하며 깨달음이 깊어지면서 인격이 도야되는 과정이다. 지상의 삶은 생각들을 훈련하여 인격을 도야하는 훈련장의 삶이다. 인간은 누구나 사랑의 완성이라 할 수 있는 인간 완성을 향해 배우며 실천하는 일을 하며 깨달음을 얻어가는 학생인 것이다. 우리나라에서 죽은 이의 관 위에 '학생學生 아무개' 라고 쓰는 이유이다. 모두가 학생인 것이다. 사랑을 실천하는 일을 함으로써 되돌려 받는 사랑의 에너지 양에 따라 영혼이 자라고 성숙하며 양기의 순도 차원이 높아진다. 영계에서 영은 자라거나 성숙하지 못한다. 사랑을 배우거나 실천하는 일을 할 수 없기 때문이다.

지상의 삶은 영혼이 자라고 성숙하여 양기의 순도 차원을 높이는 사랑의 수련장이므로 길지 않다. 영계에서 창조주와 영은 영생을 누리며 영원히 함께 산다. 지상의 삶은 인간의 눈으로 보이는 음의 세상이며 한시적인 삶이다. 영계의 삶은 인간의 눈으로 보이지 않는 양의 세상이며 영혼이 영원한 삶을 살아가는 세상이다.

지상 생활에서 사랑의 에너지를 되돌려 받을수록 영혼이 자라고 성숙하며 양기의 순도는 높아진다. 지구촌은 사랑을 배우고 실천하며 영혼을 성숙시키는 사랑의 연수원이다. 사랑을 배우고 배운 사랑을 실천하는 일을 해야 사랑의 에너지를 되돌려 받아 양기의 순도가 그만큼 높아진다. 인간이 일을 해야 하는 이유이다.

인간은 체력을 키워 일을 해야 사랑의 에너지를 되돌려 받는다. 살아생전에 쌓은 공덕攻德은 사랑을 실천한 실적이며 죽은 후에 현실이 된다. 사랑을 배우고 실천하며 깨달음을 얻으면 인격이 도야되며 생각도 따라서 달라진다. 인성의 마음이 순화되어 천성의 마음으로 닦여 생각도 바뀌며 사랑의 마음으로 바뀐다. 모든 생각은 결과를 가져오며 인과법칙이 적용된다. 천국을 생각하며 영계로 되돌아가면 천국으로 가고, 지옥을 생각하며 되돌아가면 지옥으로 간다. 판단은 각자의 영혼이 스스로 한다. 자기의 양기의 순도에 적합한 차원에 스스로 머물러야 하기 때문이다. 지옥은 인간이 바른 삶을 살아가도록 권장하기 위하여 만든 가상의 세계이자 어둠의 세계로 소멸로 이어지는 영계의 삶이다.

영계나 영혼, 경락을 비롯한 창조주의 영역에는 인간의 인식력이 도달하지 못한다. 뇌가 의식 활동을 하면 영혼이 활동하지 못하고 영혼이 활동하면 뇌가 의식 활동을 하지 못하기 때문이다. 창조주로부터 영靈이 생명[魂]을 받으면 영혼이 되어 인간의 몸으로 들어가 영혼靈魂을 갖는 인간이 되고, 부모의 정기를 받아 생혼生魂으로 태어나 성장하고 사랑을 배우고 실천하여 깨달음을 얻고 각혼覺魂이 되어 영계로 되돌아가는 것이 인생이다. 영혼의 존재 이유는 지상의 삶에서 지속적으로 사랑을 배우고 실천하여 깨달음을 얻어 인격을 도야하고 영혼이 성숙되고 밝아져 양기의 순도를 높이는 것이다.

인간은 창조주로부터 영혼을 받은 생명체이며, 다른 생명체는 생명만을 받은 유기체organism이다. 체體는 몸organism이며 기계機械이며 물物이며 우리 눈에 보이는 물체物體이다. 인간은 다른 생명체처럼 육신과 생명을 갖는 존재이지만 추가로 영혼을 소유하므로 영적인 존재이다.

인간은 다른 생명체와는 다르게 영혼을 소유함으로써 다른 생명체가 할 수 없는 능력을 발휘할 수 있다. 영혼에게 양심과 이성이 부여되어 인간이 인간답게 살도록 한 것이다. 인간은 양심과 이성이 작동될 때 사랑의 에너지를 스스로 조절할 수 있어 지혜와 깨달음을 얻어 인간다운 삶을 살아간다. 인내력과 적응력이 특출하고 초자연적인 능력을 발휘할 수 있어 과학과 문화를 발달시키고 인간사회가 발전하게 된 것이다. 인간은 누구나 양심良心과 이성理性을 갖는 영적인 존재이므로 만물의 영장이다. 영혼은 양심과 이성을 소유하므로 창조주의 뜻에 일치하는 삶을 살아간다. 지구상의 인간은 장애인이라 할지라도 누구나 동일한 양심과 이성을 갖는다.

양심과 이성은 우리에게 무엇이 진실하고 무엇이 허위인가를 가르쳐 보이기 위하여 주어졌다. 양심과 이성은 단지 어떻게 살아야 하는가를 가르쳐 보이기 위하여 주어졌다. 창조주의 뜻에 일치하게 살기 위하여 주어진 것이다. 양심과 이성은 모든 사람에게 유일하고 동일하다. 양심과 이성은 창조주를 따르는 삶을 살도록 하기 위하여 창조주가 인간에게 영혼과 함께 부여한 것이다. 양심과 이성을 따르는 삶을 살면 사랑의 에너지를 받아 번성하며 성공하고 어긋나게 살면 사랑의 에너지를 받지 못해 위축과 소멸로 이어진다. 창조주의 뜻에 일치하면 선이며 사랑이며 생성으로 이어지고, 어긋나면 죄악이며 위축과 소멸로 이어진다.

4

동양철학과 현대과학

사랑의 에너지

우주 만물을 이루는 궁극적 단위를 동양철학에서는 기氣라 하고, 현대물리학에서는 에너지-물질energy material이라 하므로 양자는 동일하다. 우리는 **창조주**를 빛이며 진리이며 **사랑 자체**[4]라고 말한다. 기나 에너지 물질은 단순한 에너지가 아니라 창조주의 의지와 마음이 포함된 에너지이므로 '**사랑의 에너지**'이다. 빛도 사랑의 에너지로 이루어지므로 사랑의 에너지는 창조주의 몸을 구성하는 궁극적 단위이며 창조주를 구성하므로 '기'나 '에너지 물질'이라는 용어보다 '사랑의 에너지'라는 용어가 적절하다. 사랑의 에너지life force, love energy가 순환하고 회전하면 빛이 되고 우주 만물이 되는 것이다. 유형무형한 우주 만물이 창조주의 몸이다.

동양철학에서 물物을 이루는 궁극적 단위를 기氣라 한다. 물物에는 생물과 무생물, 식물과 동물, 인간이 모두 포함된다. 기氣가 움직이는 현상이 기운氣運이다. 기운은 에너지이며 하늘과 땅에서 온다. 하늘[太陽]에서 오는 기운이 양陽(+)의 기운이며, 땅에서 오는 기운이 음陰(-)의 기운이다. 전기에서 말하는 음(-)과 양(+)이다. 음양은 별개로 존재하지 못한다. 음의 기운과 양의 기운이 합쳐져야 소용돌이가 되며 응집하여 물物이 된다.

생성을 위한 회전은 언제나 음기는 올라가고 양기는 내려오는 음승양강陰昇陽降으로 시계 반대방향으로 이루어진다. 올라가는 음기와 내려가는 양기가 결합해야 회전이 이루어지며 물

---

4 창조주는 빛이며 열 자체이다. 우주 만물은 빛과 열로 이루어진다. 빛은 열이며 열은 빛이다. 열은 따스함이며 사랑이다. 빛은 진리이며 열은 사랑이다. 진리眞理는 참된 이치이다. 빛을 받거나 열을 받아야 따스해진다. 창조주는 빛이며, 사랑이며, 진·선·미 자체이다. 사랑은 순수하고 조건 없이 주는 것이다. 자기희생을 감수하며 베풀기만 한다. 아무런 대가를 바라지 않고 태양은 양기를, 땅은 음기를 모든 생명체와 만물에 제공하며 자신은 소멸된다. 소멸되므로 피조물이다. 모든 피조물은 소멸된다. 창조주의 사랑은 이러하며 창조주는 사랑의 에너지를 아무리 많이 주어도 소멸하지 않고 영원히 존재를 유지하므로 우주 만물을 창조한 주인이며 창조주이다. 양기나 음기는 동일한 사랑의 에너지이며 우주 자체가 창조주 자신이므로 창조주는 사랑 자체이다. '하나님은 사랑이시다'라고 성경에도 나와 있다.

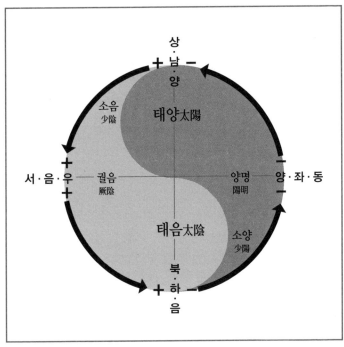

그림 1. 음양과 입자, 음기와 양기의 순환

物이 되어 존재를 유지한다. 음과 양이 결합해야 物物이 된다. 우주에서 物物이 존재를 유지하려면 회전해야 하고 내부에서도 음이 양이 되고 양이 음이 되는 순환이 이루어져야 한다.

물체가 우주에 독자적으로 머무르고 존재하려면 회전해야 한다. 음기와 양기는 따로 떨어져 별개로 존재하지 못하고 기의 상태로 우주 공간을 채운다. 음과 양의 결합 비율이 특정한 경우에만 형태를 유지하고 이외의 결합 비율일 때는 형태가 없이 소멸되어 쌍소멸이라 한다. 쌍소멸된 기로 가득 채워진 공간이 대기大氣, 공기空氣, 진공眞空이다. 기도 존재하려면 순환해야 하므로 기상氣象으로 나타난다. 덥고, 차고, 뜨겁고, 습하고, 건조하고, 바람 기운으로 나타나 육기六氣라 한다.

동양철학에서 기氣가 모이고 흩어지며 변화하는 이치가 리理이다. 리理는 눈에 보이지 않는 형이상의 운행 원리이며, 눈에 보이는 형이하의 운행 원리는 법法이다. 법은 물이 흘러가는 이치이므로 자연법칙이다. 리에도 물처럼 흘러가는 원리가 있어 법리法理이다. 리理에는 본질本質인 성性이 있어 이성理性이며 사랑의 법칙이다. 자연법칙이나 사랑의 법칙은 사랑의 에너지인 기의 운행 원리이므로 동일한 법칙이며 우주 만물의 생성 원리이다. 성性은 우주의식으로 하늘마음으로 사랑의 에너지를 받을 수 있는 생성의 마음이다. 하늘마음으로 사랑의 에너지를 받으면 생성으로 이어지는 것이다.

우주 만물萬物이 생성되고 소멸되는 원리가 물리物理이다. 기의 작용은 수數로 나타나고 만사事에는 리理가 있어 수리數理이다. 또한 순서가 있어 순리順理이다. 물物에는 형形이 있고, 형에는 상象이 있어 물상物象이다. 진리眞理, 사리事理, 생리生理, 병리病理, 심리心理, 지리地理, 천리天理라는 용어가 생겨난다. 용어는 다르지만 근본은 하나로 사랑의 에너지인 기氣의 운행 원리이다. 대기大氣가 순환하여 나타나는 현상은 기상氣象이다.

현대 물리학의 입자는 에너지-물질energy material이 응집되어 고속으로 회전되는 현상 자체이다. 입자는 우리가 생각하는 고체가 아니며 파동이며 사랑의 에너지의 회전체이다. 가장 작은 입자인 광자光子는 에너지-물질이 도는 현상이라고 **플랑크** [5]는 말한다.

입자의 생성과정은 양자론을 거쳐 끈 이론으로 발전해 11개 차원이 있을 것으로 생각한다. 입자의 생성과 소멸이 쌍으로 이루어지므로 쌍생성과 쌍소멸, 물질과 반물질이란 개념으로 해석한다. 위치에너지는 질량을 가지며 자성磁性을 띠며 관성을 갖는다. 운동에너지는 질량을 상실하며 전성電性을 띤다. 우주 만물은 모두 전자기체電磁氣體이다. 위치에너지와 운동에너지의 합은 일정하다는 것이 에너지보존법칙이며 질량불변의 법칙이다.

운동에너지는 비물질을 생산한다. 비물질이라 함은 질량이

---

4 Max Karl Ernst Ludwig Planck: 1858–1947. 독일물리학자, 1918년 노벨 물리학상 수상자. 에너지-물질이 초당 플랑크의 횟수(5.391×10⁴⁴번) 만큼 플랑크 시간(10⁻⁴⁴초)에 플랑크의 너비(1.616×10⁻³⁵m)로 교대로 바뀌는 현상을 광자라 하며 빛이 파동이며 입자이며 광자임을 밝힘.

없는 운동에너지만 갖는 상태를 말한다. 질량이란 의미도 에너지의 한 형태이다. 물질도 에너지이며 질량을 갖는 위치에너지의 형태이다. 눈에 보이는 형이하의 세계는 우선성右旋性의 세계이다. 눈에 보이지 않는 형이상의 세계는 좌선성左旋性의 세계이다. 눈에 보이는 형이하의 세계는 우주 전체 질량의 4%에 해당하고, 에너지의 10억 분의 1에 해당한다. 우선성의 입자들은 양의 질량을 갖고, 좌선성左旋性의 입자들은 음의 질량을 가져 암흑 물질과 암흑 에너지라 한다. 기의 회전이 시계방향으로 이루어지면 우선성이며, 시계 반대방향으로 이루어지면 좌선성이다. 우리 몸의 기의 순환도 시계 반대방향으로 도는 좌선성이므로 눈에 보이지 않는다. 우리 몸에서 감각으로 느낄 수 있는 기는 순음의 상태일 때 느끼고 순양의 상태일 때는 느끼지 못한다. 몸의 앞쪽에서는 양기가 내려오고 뒤쪽에서는 음기가 올라가는데 화기는 순음이며 수기는 순양이다.

우리가 고체라고 생각해오던 물질의 기본 입자는 에너지 물질이 응집되어 회전되는 현상 자체이다. 회전의 방향이 위에서 아래로 내려감이 양(+)의 기운이며 아래에서 위로 올라감이 음(-)의 기운이다. 음陰의 기운과 양陽의 기운이 합쳐져야 회전이 완성되어 입자粒子가 된다. 음은 극에 이르면 양이 되고, 양은 극에 이르면 음이 된다. 음이나 양이 별개로 존재하지 못한다.

입자가 파괴되면 별개가 되어 사랑의 에너지인 기氣로 되돌아가 공空이 되며 이물질 없이 순수한 때 진공이다. 기로 되돌아가도 순환하며 기상으로 나타난다. 음양은 사랑의 에너지이다.

음양의 결합 비율에 따라 입자의 크기가 결정된다. 물질은 에너지가 정보를 유지하며 회전하는 회전체이다. 에너지가 정보를 얻으면 물질이 된다. 이때의 정보는 음양이 결합하는 일정 비율을 의미하며 동양철학의 **음양오행**陰陽五行[6]이다. 현대물리학의 양자이론에서 나오는 입자들도 음양오행인 것이다. 현대물리학의 끈 이론은 5가지이다. 열린끈이론, 두 가지 형태의 닫힌끈이론, 두 가지 형태의 복합끈이론이다. 에너지는 물질이 되며 물질은 에너지가 될 때 에너지 손실이 없다. 아인슈타인의 상대성 원리가 적용된다.

입자는 에너지-물질이 응집되어 고속으로 회전되는 회전체이다. 에너지 뭉침이 고속으로 회전하는 현상 자체이다. 태풍의 모습을 한 기의 소용돌이[渦]이며 자기성磁氣性을 갖는다. 에너지 물질이 워낙 고속으로 빠르게 회전하므로 견고해 입자로 보인다. 회전되는 프로펠러가 원반으로 보이는 이치와 같다.

---

6 음과 양이 결합하여 物物을 생성할 수 있는 비율을 말한다. 수기水氣(1양:6음), 화기火氣(2음:7양), 목기木氣(3양:8음), 금기金氣(4음:9양), 토기土氣(5양:10음)이다. 가장 작은 입자인 광자는 2음7양으로 결합된 화기이다. 가장 큰 입자는 1양6음으로 결합된 수기水氣이다.

우리가 생각하는 고체는 존재하지 않는다. 음양이 도는 현상으로 음양오행으로 존재를 유지한다. 현대의학의 양자이론에서 나오는 입자들도 음양오행인 것이다. 음양의 결합 비율에 따라 음기, 양기, 반 음기, 반 양기, 중성으로 각각 수기水氣, 화기火氣, 목기木氣, 금기金氣, 토기土氣로 우주를 이루며 존재를 유지한다. 물질의 특성을 나타내며 오행 사이의 상생, 상극 법칙에

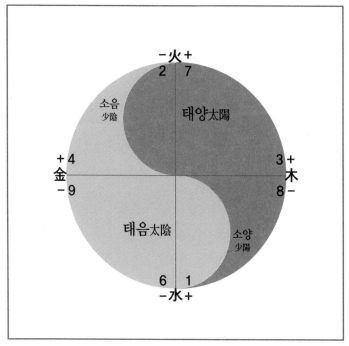

그림 2. 음양오행

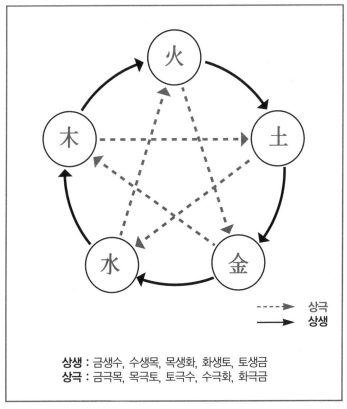

상생 : 금생수, 수생목, 목생화, 화생토, 토생금
상극 : 금극목, 목극토, 토극수, 수극화, 화극금

그림 3. 상생과 상극

따라 자연법칙이 운용된다. 눈에 보이는 형이상은 물론 보이지 않는 형이하의 현상도 음양오행을 따른다. 인간의 품성까지도 이를 따른다. 모두 사랑의 에너지로 이루어지고 사랑의 에너지로 인하여 나타나는 현상이기 때문이다. 우주의 자연과 그 현상은 사랑의 에너지가 아닌 것이 없는 것이다.

기가 응집하여 이루어지는 소용돌이는 크기가 다른 중성미자, 전자, 양성자, 중성자 등 입자를 형성한다. 이들이 모여서 원자를 이루고, 원자들의 결합으로 분자를 이루고, 분자들의 결합으로 만물萬物을 이룬다. 사랑의 에너지가 순환되지 못하면 사랑의 에너지의 뭉침은 파괴되어 사랑의 에너지로 되돌아간다. 우주는 모두 사랑의 에너지로 일체이며 창조주의 몸이다. 인간이 사랑으로 다가가면 모두가 일체가 될 수 있고 하나가 될 수 있어 사랑의 에너지를 되돌려 받을 수 있는 것이다.

사랑은 온 세상을 한데 모으는 접착제이다. 사랑은 가스나 기름 같은 에너지이다. 신성의 사랑은 레이저 광선이다. 사랑은 빛과 같은 치료제이다.

현대 물리학에서도 우주의 중심은 있을 것으로 생각하지만 찾지 못한다. 우주의 중심이 너무 크고 순수한 창조주의 영역에는 인간의 인식력이 도달할 수 없기 때문이다. 차원이 다르기 때문이다. 뇌가 의식 활동을 하면 영혼이 활동하지 못하고 영혼이 활동하면 뇌가 의식 활동을 하지 못하기 때문이다. 뇌가 의식 활동을 하는 인성의 마음이 작동되면 천성의 마음이 작동하지 못한다. 창조주의 영역은 인간의 눈에 보이지 않는다. 순수한 영역에는 탁기가 들러붙지 못하기 때문이다. 음기인 인간의 의식이 원천적으로 접근이 되지 못한다. 그러나 많은 과학자와 철학자들은 창조주의 영역을 짐작한다. 어느 정도의 깨달음을 얻으면 인성이 순수해져 천성의 참 나를 어렴풋이나마 부분적으로 알 수 있기 때문이다. 각성하고 깨달으면 인성이 순수해져 천성을 가리지 않아 천성의 마음의 눈으로 보게 된다. 천성의 마음인 신神을 통하여 알게 되면 신통神通하여 우주 만물의 생성 원리를 알게 된다.

수천 년 전의 우리의 조상들이 천성의 마음의 눈으로 우주를 관찰해 망원경 없이도 우주를 짐작할 수 있었다. 28수宿 천문도는 현대 천문학과 크게 다르지 않다고 한다. 영계는 11개의 차원이 있다고 한다. 현대 물리학에서도 입자의 생성이론인 끈이론이 11개 차원이다. 인간이 눈을 뜨고 볼 수 있는 물질세계는 시공 4차원이다. 눈을 감고 마음으로 볼 수 있는 정신세계는 시공 5차원이다.

인간의 육신의 눈으로 보이는 것은 형체가 있는 형이하形而下로 물物만 보인다. 현대 물리학이나 과학은 증명이 가능한 음성인 물物만 다룬다. 상대적으로 음성인 물체만 보인다. 형체가 없는 것은 형이상形而上으로 양성이며 신神이라 한다. 정신과 마음과 기는 보이지 않는다. 사랑의 에너지의 움직임이 동적動的이면 양성陽性이며 형체가 없고 파동으로 나타나므로 감

각으로 느끼지 못하고 계측計測할 수가 없다. 감정이며 마음이
며 정신으로 철학의 영역이며 영혼의 영역이 된다. 증명이 가
능하지 않다는 의미이다.

사랑의 에너지의 움직임이 정적靜的이면 음성陰性이며 물物
이며 형이하形而下로 형체가 있어 눈을 뜨면 보이고 감각으로
느낄 수 있어 계측할 수 있다. 증명이 가능하다는 의미이다. 질
량은 에너지이며 에너지는 질량이지만 질량을 갖는 물질은 음
성이며 에너지는 양성이다. 질량이라는 의미도 에너지의 한 형
태로 위치(자기磁氣)에너지를 말한다. 운동(전기電氣)에너지는 형
태가 없어 질량도 없다. 위치에너지와 운동에너지의 합이 일정
하며 에너지보존법칙이나 질량불변의 법칙이 적용된다.

현대과학이나 의학은 크게 발전했지만 증명이 가능한 것만
인정하고 음성의 영역만 다루므로 반쪽만 다루고 아는 것이다.
눈에 보이는 음성인 형이하의 영역만 다루고 눈에 보이지 않는
양성인 형이상은 다루지 못한다. 인간은 몸과 마음과 정신으로
이루어진다. 몸과 정신은 마음이 하라는 대로 한다. 몸과 정신
은 마음의 노예이다. 몸은 눈에 보이고 마음과 정신은 보이지
않는다. 형체가 있는 몸과 그 활동 자체는 계측이나 증명이 가
능하나 형체가 없는 마음과 정신의 활동은 계측하거나 증명할
수 없어 모른다. 주인인 마음을 제쳐두고 육신만 연구하여 알

게 된 것이다.

현대의학은 눈에 보이는 음기의 순환인 혈액순환만 다루고 눈에 보이지 않는 영혼의 활동이나 양기의 순환인 기 순환은 다루지 못한다. 육신의 활동은 알지만 영혼의 활동은 생각조차 하지 못한다. 영혼의 활동으로 인하여 나타나는 현상을 현대의학은 알 수가 없는 것이다. 육신의 활동은 음기의 순환이며 영혼의 활동은 양기의 순환이다. 음기의 순환으로 육신이 유지되고 양기의 순환으로 생명 활동이 이루어지고 움직임과 생명력 면역력 적응력을 생산하여 생로병사의 현상으로 나타난다. 이때의 음기나 양기의 의미는 광의廣義의 의미이다. 음양이라 할 때는 협의의 의미이며 음기나 양기라 할 때에는 음양을 포함하지만 음성일 때 음기, 양성일 때 양기라 한다. 자연에 존재하려면 음기에도 음양을 포함하고 양기에도 음양을 포함한다. 음양이 별개로 존재할 수 없기 때문이다. 2음:7양의 비율로 이루어진 화기火氣는 양성으로 양기이다. 1양:6음으로 이루어진 수기水氣는 음성으로 음기이다. 목기木氣는 3양:8음으로 반양이며 금기金氣는 4음:9양으로 반음, 토기土氣는 5양:10음으로 중성이다.

생명체가 존재를 유지하려면 내부에서 음기와 양기의 순환이 이루어져야 한다. 생명체인 식물의 순환은 생명 활동과 광합성을 위한 양기의 순환과 영양분을 위한 음기의 순환이 있다. 동물의 순환은 혈액순환이 음기의 순환이며 몸을 움직이고 생명 활동을 하기 위한 에너지를 얻기 위한 순환이 양기의 순환이며 사랑의 에너지 순환이다. 몸을 움직이며 생명 활동을 유지하려면 사랑의 에너지의 순환인 양기의 순환이 우선이다. 생명 활동과 움직임은 생체전기로 이루어지는 것이다.

동양철학은 음성과 양성을 모두 다루고 우선순위에서 양성이 앞선다. 일상생활에서도 선과 바름, 근본과 도리, 창조주를 우선으로 하므로 정신문화를 발전시킬 수 있었다. 동양의학도 오랫동안 경락체계를 치료 원리로 이용해 왔지만 증명이 가능해야 인정을 하는 서양의학의 등장과 함께 위축되어 역할을 제대로 하지 못하고 있다. 동양철학과 서양철학이 합쳐질 수 있을 때 우주나 창조주를 이해할 수 있는 것이다.

동양철학에서 우주 만물은 창조주의 정精·기氣·신神으로 이루어진다. 정精은 육신을 지배하고, 기氣는 정신을 지배하며, 신神은 마음을 지배하는 힘의 원천이다. 인간은 몸精과 정신氣과 마음神으로 이루어진다. 정은 인체를 구성하고 생명 활동을 유지시키는 물질적 기초이다. 기는 생명 활동의 원동력이며, 신은 정신, 의지, 지각, 운동 등 모든 생명 활동을 지배하는 생명의 구현이다. 신은 마음이며 육신은 마음이 하라는 대로 한다. 육신은 마음의 노예이다. 기는 마음을 따라다니고 육신을 지배한다. 마음이 허용해도 기운이 없으면 움직이지 못한다.

인간에서 정精은 육신을 구성하는 가장 기본적인 물질이자 기氣와 신神을 화생시키는 물질적 기초이다. 기는 육신의 생명 활동을 추진하거나 조절하는 원동력이자 신을 화생시키는 기초 물질이다. 신은 정과 기의 인체 내에서의 정상적인 운행을 통제하거나 조절한다. 정精이 충만하면 기氣가 장壯해지고, 기가 장해지면 신神이 명明해진다. 음기와 양기와 마찬가지로 정ㆍ기ㆍ신은 별개로 따로 존재하지 못한다.

사랑의 에너지인 기가 정ㆍ기ㆍ신을 이어주는 끈 역할을 한다. 사랑은 온 세상을 한데 모으는 접착제이다. 기를 받을수록 정ㆍ기ㆍ신은 견고해진다. 기를 받지 못하면 정ㆍ기ㆍ신이 해체되어 기로 되돌아간다. 사랑의 에너지를 공급받으면 생성으로 이어지고 공급받지 못하면 소멸로 이어진다. 사랑의 법칙이며 자연법칙이며 인과응보의 법칙이다.

사람의 육신을 주관하는 것을 백魄이라 하고 정신을 주관하는 것을 혼魂이라고도 한다. 신神은 혼魂의 령令을 받고, 기氣는 영靈의 령令을 받고, 정精은 백魄의 령을 받으며 그 가운데 주主는 신神이다. 신은 하늘마음으로 창조주의 마음이며 영혼의 마음이다. 인간은 영혼의 명령을 받으며 천성의 마음일 때 영혼이 활동하여 양심과 이성이 작동함으로써 인간다운 삶을 살아간다. 영혼이 활동해야 경락이 열려 사랑의 에너지를 받는다. 사랑의 에너지를 받아 순환하면 생체전기가 되어 뇌와 심장과 근육을 작동시킬 수 있는 것이다. 영혼이 활동하면 생체전기를 스스로 만들고 영혼이 활동하지 못하면 스스로 만들지 못하고 몸에 저장된 체력을 소모하게 되어 노화와 수명의 단축으로 이어지는 것이다.

정 · 기 · 신은 인체를 이루는 삼보三寶라 하며 정은 기초, 기는 원동력, 신은 지배자라 할 수 있다. 이 세 가지가 형形을 이루며 유기적인 통일체를 구성한다. 이를 가능케 하는 인자가 바로 사랑의 에너지이며 기氣다. 우주 만물은 창조주의 몸이므로 모두 정 · 기 · 신으로 이루어진다. 정 · 기 · 신은 사랑의 에너지라는 끈으로 이어진다. 사랑의 에너지가 공급되지 못하면 끈이 풀려 정 · 기 · 신은 해체되어 사랑의 에너지로 되돌아간다. 이를 소멸이라 하며 공空이 되는 것이다. 색즉시공色卽是空이다. 사랑의 에너지가 공급될수록 정 · 기 · 신은 더욱 견고해진다. 우주만물은 사랑의 에너지로 이루어지고 사랑의 에너지로 이어져 하나가 되어 창조주의 몸을 이룬다. 인간이 창조주의 몸과 일치를 이루고 하나가 되면 사랑의 에너지를 받는다.

창조주는 사랑의 에너지를 통하여 우주 만물의 생성과 소멸을 주관한다. 사랑의 에너지는 창조주의 몸을 이루는 궁극적 단위이며 창조주 자신이기 때문이다. 따라서 우주 만물은 우주 의식을 가지며 자연의식, 하늘마음이라 한다. 식물이나 동물, 무생물까지도 우주의식을 소유하므로 인간이 사랑을 주면 좋아한다. 식물에도 인간이 사랑의 마음을 주면 잘 자라고, 물에도 사랑을 주면 결정의 모습이 오각형에서 육각형으로 변한다. 저주를 주면 식물이나 동물도 잘 자라지 못하고 물의 결정모습은 다시 오각형으로 바뀐다. 소립자를 관찰할 때도 관찰자의 마음에 따라 나타나기도 하고 나타나지 않기도 한다. 양자론을 이해하기 어려운 이유이다. 골동품이나 유적이나 집도 인간이 사랑을 주면 오래 보존된다. 우주 만물은 사랑의 에너지를 받으면 생성으로 이어지고 받지 못하면 소멸로 이어진다.

창조주는 순수하므로 정精·기氣·신神이 일체이다. 창조주는 몸이 마음이며 정신으로 같아 일체이다. 순수하므로 음이 양이며 양이 음이므로 유일한 존재이다. 창조주는 빛이며 열 자체이다. 질량은 에너지이며 에너지는 질량이다. 우주 만물은 빛과 열로 이루어진다. 빛은 열이며 열은 빛이다. 열은 따스함이며 사랑이다. 빛은 진리이며 열은 사랑이다. 진리眞理는 참된 이치이다. 빛이나 열, 사랑을 받아야 따스해진다.

창조주는 빛이며, 사랑이며, 진·선·미 자체이다. 곧, 우주

의 근본이며 자체이므로 우주가 운행되는 참된 이치는 사랑이
다. 사랑은 참되며 선하고 아름다운 것이다. 사랑은 창조주의
몸인 인간뿐 아니라 자연과 다른 생명체를 돌보고 보살피는 일
이며 인간이 해야 할 일이다. 사랑은 창조주와 자연과 일치와
조화를 이룸이다. 창조주의 몸인 인간뿐 아니라 자연과 다른
생명체와 하나가 되고 일치를 이룸이 사랑이다. 명상이나 참선
으로 몸과 마음과 정신이 일체가 되면 사랑의 에너지를 받는
다. 자연과 다른 생명체와 일체를 이루어도 사랑의 에너지를
받는다. 오지에서 자연을 벗 삼아 반려동물과 함께 하는 삶도
행복을 누릴 수 있는 이유이다.

햇빛이나 공기, 흙이나 물은 자기를 희생하며 모든 생명체에
게 주기만 하고 아무것도 바라지 않는다. 창조주의 사랑은 조
건 없는 사랑으로 바로 이런 것이다. 인간은 믿고 받아들이기
만 하면 된다. 인간은 사랑을 배우거나 배운 사랑을 실천하는
일을 할 때 사랑의 에너지를 되돌려 받는다. 영혼이 활동해 경
락을 열어주어야 사랑의 에너지를 받는다. 영혼이 활동하지 못
하면 경락이 닫혀 사랑의 에너지를 받지 못하므로 체력을 소모
하게 되어 노화와 수명의 단축으로 이어진다. 영혼이 활동하면
수명이 연장되고 활동하지 못하면 단축된다.

우주 만물은 사랑의 에너지가 회전하는 회전체이므로 사랑

의 에너지로 이루어진다. 창조주는 사랑이며 참과 선과 아름다움 자체이다. 진·선·미의 원천이 창조주이다. 자연은 모두 피조물이며 음양으로 이루어지므로 절대적으로 순수함이 없다. 음양오행에 따르면 최소한 1/7(14.3%)은 순수하지 못하며 순수성은 6/7(85.7%)을 넘지 않는다. 1/7 이하이거나 6/7 이상이면 자연에 존재하지 못한다. 인간의 몸뿐 아니라 인간사에서 나타나는 모든 현상에도 적용된다. 인간이 창조주와 함께 하지 않을 수 있는 곳은 아무데도 없다. 모두 사랑의 에너지로 이루어지며 사랑의 에너지로 인하여 나타나는 현상인 것이다. 진리에는 예외가 없고 사람이 만든 법칙에는 반드시 예외가 있는 이유이다.

창조주의 뜻에 일치하면 바르고, 선하며, 진리이며, 아름다움이며, 사랑이다. 인간은 영혼을 소유한 창조주의 분신이므로 창조주의 뜻에 일치하며 살아가야 한다. 창조주의 몸인 인간뿐 아니라 자연과 다른 생명체를 보살피고 가꾸는 일이 사랑이며 인간이 해야 할 일이다. 창조주의 몸과 조화를 이루고 일치를 이루어 하나가 됨이 사랑이다. 사랑과 진·선·미를 추구하며 살아가야 한다. 영혼의 존재 때문이다.

인간은 진·선·미와 자연과 다른 생명체와 조화하며 일치를 이루며 살아가면 사랑의 에너지를 원하는 대로 받는다. 사랑의 에너지는 신성한 에너지이며 창조주 자신이다. 창조주의 분신인 영혼은 사랑의 에너지를 받아야 자라며 성숙한다. 사랑의 에너지를 받지 못하면 육신의 질병으로 이어지며 소멸의 길을 간다. 사랑의 에너지가 공급되지 못하면 활성산소가 생성되기 때문이다. 사랑의 에너지를 받으면 받을수록 행복을 누리며 영혼이 성숙하고 사랑과 양기의 순도 차원이 높아지며 창조주의 모습이 되어 창조주와 함께 영생을 누린다.

경락經絡과 기 순환

경락은 한의학에서 말하는 경락經絡으로 기가 흐르는 길이다. 상하로 흐를 때 경맥經脈, 좌우로 흐를 때 락맥絡脈이라 하며 합하여 경락이다. 심장이 혈액을 순환시키는 순환펌프 역할을 하듯이 단전은 기를 순환시키는 순환펌프 역할을 한다. 상단전은 음기를 흡수해 양기로 바꾸어 밀어내고 하단전은 양기를 흡수해 음기로 바꾸어 밀어내 순환이 이루어진다. 음기나 양기는 상단전과 하단전을 한 바퀴 돌면 생체전기가 되어 체력이 된다. 앞쪽은 위에서 아래로, 뒤쪽은 아래에서 위로 머리의 상단전과 아랫배 하단전을 시계 반대방향으로 순환한다.

우리 몸에는 육장육부를 관장하는 12개의 십이경락과 기가 고속으로 흐르는 통로 역할을 하는 8개의 기경팔맥奇經八脈이 있다.

한의학에는 심장을 보호하는 심포心包와 몸을 호흡기, 소화기, 생식기 계통으로 나누어 이들에 기를 공급하는 상초, 중초, 하초로 삼초三焦가 있어 육장육부이다. 육장六臟은 심장, 폐장, 심포, 간장, 비장, 신장이며 육부六腑는 소장, 대장, 삼초, 담, 위장, 방광이다. 육장육부 각각의 기능을 총괄하는 12개의 경락이 십이경락이다. 육장육부의 명칭대로 경락의 명칭이 부여된다. 육장을 관장하는 경락은 음경이며 육부를 관장하는 경락은 양경이다. 몸의 안쪽은 음경락 영역이며 바깥쪽은 양경락 영역이다. 얼굴과 머리는 모두 양경락 영역이다. 십이경락 영역별로 장기는 물론 피부와 근육과 뼈가 나누어지며 해당 영역에 해당 경락이 분포하며 기를 흡수하는 기공과 경혈을 갖는다. 해당 영역의 세포 하나하나에까지 일정한 체계를 유지하며 해당 경락을 통하여 기를 흡수하기도 하고 공급하기도 한다. 음경락으로 양기가 흐르고 양경락으로 음기가 흐른다. 음경락은 하단전과 이어지고 양경락은 상단전으로 이어진다. 상단전과 중단전, 하단전은 기경팔맥으로 이어진다.

경락은 단전에서 팔과 다리를 거쳐 손끝과 발끝으로 이어진다. 우리 몸은 상체와 하체로 구별되며 경계는 횡격막이다. 상체를 관장하는 경락은 상단전과 팔로 이어지며 수삼음경과 양경이다. 하체를 관장하는 경락은 하단전과 발로 이어지며 족삼음경과 양경이다. 팔의 바깥쪽을 경유하는 경락을 수삼양경이라 하며 소장경, 대장경, 삼초경이다. 소장경은 새끼손가락, 대장경은 둘째손가락, 삼초경은 넷째손가락으로 이어진다. 팔의 안쪽을 경유하는 경락을 수삼음경이라 하며 폐경, 심경, 심포경이다. 폐경은 엄지손가락, 심경은 새끼손가락, 심포경은 가운데손가락으로 이어진다. 등과 발의 바깥쪽을 경유하는 경락을 족삼양경이라 하며 담경, 위경, 방광경으로 2~5째 발가락으로 이어진다. 다리와 발의 안쪽을 경유하는 경락을 족삼음경이라 하며 간경, 비경, 신경으로 모두 엄지발가락으로 이어진다. 폐경과 대장경, 심경과 소장경, 심포경과 삼초경, 간경과 담경, 비경과 위경, 신경과 방광경이 서로 이어지며 장부 간의 기 순환이 이루어진다.

심장이 장의 군주 역할을 하므로 양기의 흐름은 음경인 심경, 신경, 심포경, 간경, 폐경, 비경 순으로 순환이 이루어지며 중간중간에 상대되는 양경과 이어진다. 심경은 양기의 순환을 주도하고 신경은 음기의 순환을 주도한다. 음기와 양기의 순환이 순조로워야 육장육부의 건강이 유지된다. 기경팔맥은 상단전과 하단전을 고속으로 이어주고, 팔을 경유하는 유맥, 발을 경유하는 교맥이 몸의 앞과 뒤로 이어진다. 몸의 앞쪽으로는 기경팔맥 중 임맥, 충맥, 음유맥과 음교맥이 흐르고 기를 위에서 아래로 흐르게 하는 하행선 고속도로 역할을 한다. 몸의 뒤쪽으로는 독맥, 팔을 경유하는 양유맥, 다리를 경유하는 양교맥이 있어 기를 아래에서 위로 흐르게 하는 상행선 고속도로 역할을 한다. 기는 몸의 앞쪽으로 내려오고 뒤쪽으로 올라가며 순환이 이루어진다. 임맥은 양기의 순환을 대표하는 하행선이며 독맥은 음기의 순환을 대표하는 상행선이다. 허리 주위를 흐르는 대맥은 다른 기경팔맥과 연결되며 상체와 하체에 순환되는 기의 양을 조절해 균형을 유지한다. 기경팔맥은 기경팔맥끼리 이어지고 요소요소에서 십이 경락

과 이어져 온 몸에 분포하는 세포 하나하나에까지 효율적인 기
순환이 이루어지도록 체계를 이룬다.

음기는 호식 주기에 양경락 영역의 피부의 기공과 경혈로부터
흡수되어 양경락을 통하여 상단전으로 들어와 양기로 바뀌어 하
단전으로 내려간다. 양기는 흡식 주기에 음경락 영역의 피부의 기
공과 경혈로부터 흡수되어 음경락을 통하여 하단전으로 들어와
음기로 바뀌어 상단전으로 올라간다. 음기와 양기는 상단전과 하
단전을 한 바퀴 돌면 생체전기가 된다. 뇌와 심장과 근육은 생체
전기로 작동된다. 몸을 움직이지 않는 정적인 상태에서는 음기와
양기의 순환이 호흡의 주기와 일치하고, 운동을 하는 동적인 상태
에서는 심장의 박동주기와 일치한다.

우주는 창조주의 몸이다

우주 만물은 사랑의 에너지로 이루어진 공간에 떠다니는 사
랑의 에너지의 뭉침이며 회전체들이다. 우주 자체에서 사랑의
에너지인 기가 순환하는 현상이 우주 만물의 생성과 소멸 현상
이며, 우주에서 팽창과 수축으로 나타나지만 총 질량과 에너지
는 일정하다.

현대물리학은 우주를 이루는 별과 은하가 차지하는 질량은

우주 전체의 질량의 4%에 지나지 않는 것으로 안다. 인간의 눈으로 볼 수 있는 물질을 이루는 에너지는 전체 에너지의 10억 분의 1에 지나지 않는다. 물질을 이루는 질량의 10억 배에 해당하는 에너지 물질이 눈에 보이지 않고 우주 공간에 채워져 있다는 의미이다.

우주 전체에서 4%만이 눈에 보이고 나머지 73%는 암흑 에너지, 23%는 암흑 물질이라 생각한다. 밤하늘에서 별과 은하가 차지하는 비율은 4%에 지나지 않고 나머지는 암흑 에너지이고 암흑 물질이다. 암흑 에너지는 물질의 성질을 갖지 않으며 우주의 팽창을 좌우하는 것으로 생각한다.

현대 천문학과 물리학이 아는 우주는 빛으로 138억 년을 가야 하는 거리로 광대하다. 초당 30만 km의 속도로 138억 년을 가야 하는 광대한 우주 자체가 모두 사랑의 에너지이며 창조주의 몸이다.

우주는 천억 개의 은하계로 구성되며, 하나의 은하계에는 천억 개의 별이 있다. 우주에서 존재를 유지하려면 순환하고 회전해야 한다. 사랑의 에너지가 응집되어 이루어진 사랑의 에너지의 회전체이지만 회전을 지속할 수 있어야 존재를 유지한다. 회전하지 못해 존재를 유지하지 못하면 소멸하여 사랑의 에너지로 되돌아간다. 인간도 존재를 유지하려면 몸속에서 음기와 양기인 사랑의 에너지가 순환할 수 있어야 한다. 사랑의 에너지가 순환하지 못한다는 것은 죽음을 의미한다.

현대 물리학의 가장 작은 입자는 광자光子, photon이다. 광자의 흐름이 빛이다. 광자는 사랑의 에너지의 회전체이다. 입자는 초당 5.391×10^{44}번 음양이 뒤바뀌며 회전한다. 사랑의 에너지가 그만큼 돌아야 입자가 존재를 유지한다는 의미이다. 원자는 100만 분의 1초에 10억 번 회전한다. 지구는 하루에 한 번씩 돌며 태양의 주위를 일 년에 한 번 돈다. 지구는 달의 영향으로 23.5도 기울어진 자전축을 중심으로 회전하고 있지만 지구의 자전축도 25,800년을 주기로 한 바퀴 돈다. 태양은 항상 비꼬이면서 돌아 적도에서 빠르고 극에 가까워짐에 따라 느리게 돌아 평균 27.3일마다 한 번 돈다.

원자 내의 전자는 매초 6백 마일의 속도로, 핵자는 매초 4만 마일의 속도로 회전한다. 적도 부근에 있는 인간은 시속 1,666km의 속도로 지구와 함께 회전한다. 태양계의 만물과 함께 시속 약 92만 km로 태양이 소속된 은하 주변을 회전한다. 우주 자체와 함께 시속 160만 km 이상으로 움직이는 것이다. 인간은 태양계가 소속된 10만 광년을 가야 하는 크기의 은하계와 함께 2억 5천만 년 정도 걸려야 우주 전체 은하계를 겨우 한 바퀴 돈다고 한다.

동양철학에서 우주 만물 즉 생물과 무생물, 식물과 동물을 일컫는 물物은 음과 양의 결합체이다. 내부에서 음양이 순환해야 존재를 유지한다. 생명체는 음기와 양기의 결합체이며 내부에서 음기와 양기가 순환해야 존재를 유지한다. 물物의 존재 유지는 음양이 순환되는 전기 현상이다. 생물의 존재 유지는 음기와 양기가 순환되는 생체전기 현상이다. 전기 현상은 음양이 바뀌는 현상이며 전자의 이동으로 생긴다. 생체전기 현상은 전기적으로 전하를 띤 원자나 원자단의 이동으로 생긴다.

우주 만물의 생성과 소멸의 원리는 전자기 현상이며 오직 전자기 현상으로 풀 수 있다. 우주에서 작용하는 힘은 강한 핵력, 약한 핵력, 전자기력, 중력뿐이다. 인간의 몸에서 일어나는 생명 현상도 영양분의 대사 현상이 아니라 음기가 양기로 되고 양기가 음기로 되며 사랑의 에너지가 순환하는 생체전기 현상이다. 뇌와 심장과 근육은 생체전기인 기운으로 작동된다. 기운도 경락을 통하여 음기와 양기가 순환되는 생체전기 현상이다. 체력은 사랑의 에너지를 받아들여 순환시킬 수 있는 능력으로 생체전기를 생산할 수 있는 능력이다. 우리 몸에서도 음기와 양기인 사랑의 에너지는 몸을 움직이지 않을 때는 호흡의 주기와 같은 주기로 돌아가고, 운동을 할 때는 심장의 박동 주기와 같은 주기로 돌아가야 생존을 유지한다. 음기와 양기가 순환하지 못하면 생체전기가 생성되지 못하고 생체전기의 공급이 중단되면 단전斷電되고 블랙아웃black-out되어 기절氣絕하기도 하고, 뇌사하거나 심장마비로 죽는다. 뇌나 심장이나 근육이 생체전기로 작동되기 때문이다.

우주의 나이는 의미가 없다

현대 물리학이나 천문학에서 우주의 나이는 138억 년으로 간주하지만 우주 자체가 창조주의 몸이므로 우주의 나이는 의미가 없다. 어느 한 별의 나이는 계산이 가능하나 우주의 나이는 계산하지 못한다. 생성되는 것만큼 소멸되고 소멸되는 것만큼 생성되어 항상성을 유지하기 때문이다.

우주는 시작도 없고 끝도 없이 생성과 소멸, 팽창과 수축을 되풀이하지만 총 질량과 에너지는 변하지 않고 일정하다. 질량불변의 법칙과 에너지보존법칙이 적용된다. 창조주나 우주 자체는 나이를 먹지 않고 영원하다. 인간의 영혼도 창조주의 분신이므로 나이를 먹지 않고 영계로 되돌아가 창조주와 함께 영생을 누린다. 육신은 나이를 먹어도 영혼은 자라고 성숙해 양기의 순도를 높일 뿐 나이를 먹지 않고 늙지 않으며 영계로 되

돌아가 영생을 누린다. 죽은 사람은 나이를 먹지 않는 이유이
다. 지상의 삶은 영혼이 사랑과 양기의 순도를 높이는 삶으로
인격을 도야하는 삶이다. 인성의 마음을 도야하여 천성의 마음
으로 바꾸는 삶이다.

창조주는 사랑의 에너지를 통하여 우주 만물의 생성과 소멸을 주관하고 통섭한다

사랑의 에너지는 창조주 자신이므로 창조주의 마음을 따라
움직인다. 창조주의 마음인 하늘마음과 우주의식에 따라 사랑
의 에너지가 움직인다. 사랑의 에너지는 사랑을 따라다닌다.
사랑의 에너지가 운행되는 원리가 사랑의 법칙이며 자연법칙
이며 인과법칙이다.

우주 만물은 창조주의 뜻에 일치할 때 사랑의 에너지를 받아
생성되며 번성하고, 일치하지 않을 때 받지 못해 위축되고 소
멸된다. 사랑의 에너지를 받으면 이완되며 생성되며 번성하고
사랑의 에너지를 받지 못하면 위축되고 파괴되며 소멸된다. 물
리학에서는 수축과 팽창이라 한다. 물리나 화학 반응도 사랑의
에너지의 이동으로 생기는 반응이다. 창조주는 사랑의 에너지

를 통하여 우주 만물의 생성과 소멸을 주관한다. 우주 만물은 사랑의 에너지를 받으면 생성되고 받지 못하면 소멸되어 사랑의 에너지로 되돌아간다.

우주 만물은 창조주의 뜻에 일치할 때 번성하고, 어긋날 때 위축되고 소멸된다

인간뿐 아니라 별이나 자연, 다른 생명체도 모두 우주의 일환이며 창조주의 몸이다. 창조주는 영원하지만 존재하려면 순환해야 하므로 몸을 이루는 구성 성분 하나하나인 우주 만유는 내부에서 음기와 양기의 순환이 이루어지며 생로병사의 과정을 밟는다. 지금의 태양계는 4세대 별로 이루어진다. 태양도 지금이 중년이며 50억 년 후에는 쇳덩이로 바뀌며 별이 된다. 천문학에는 태양의 소멸 과정이 나와 있다. 태양계에 양기를 지속적으로 공급하며 소멸의 길을 간다. 우주 만물이 모두 창조주의 뜻에 의하여 만들어진 피조물이며 피조물로 인하여 나타나는 현상이기 때문이다.

우주 만물은 창조주의 몸이며 사랑의 에너지가 순환되는 현상이며 자연 현상 자체이다. 인간의 삶도 우주에서 일어나는 자연 현상의 일부이며 사랑의 에너지가 순환되며 나타나는 현상에 지나지 않는다. 사랑의 에너지를 받으면 생성으로, 받지 못하면 소멸로 이어지며 생성과 소멸을 되풀이 하는 과정이 인간의 삶이다. 생명체가 존재한다는 의미는 생성과 소멸을 되풀이 한다는 의미이다. 생성이 소멸을 초과하면 성장으로 이어지고, 소멸보다 적으면 죽음으로 이어지는 것이다.

인간 사회도 서로 협력하며 상생하며 공생하며 통합될 수 있을 때 번창한다. 편을 가르고 자기의 이익을 챙기려 하면 위축과 소멸로 이어진다. 영혼이 활동해야 경락이 열려 사랑의 에너지를 받을 수 있기 때문이다. 인간이 지구라는 별에서 생존에 성공한 것은 오로지 인간이 영혼을 소유함으로써 사회적으로 협력할 수 있는 존재이기 때문이다.

모든 구성원이 하나가 되어 사랑의 법칙에 따를 때 번창하고 행복을 누린다. 악의 집단도 구성원 모두가 하나가 되면 번창할 수 있지만 오래가지 못한다. 창조주의 뜻에 일치하는 삶이 아니기 때문이다. 창조주의 시각으로 보면 인생만사가 순간에 지나지 않는다. 창조주의 뜻에 일치해야 사랑의 에너지를 받아 오래 지속된다.

사랑의 에너지를 받아야 생명 활동이 이루어진다

사랑의 에너지를 받으려면 움직여야 한다. 근육 운동을 많이 하면 사랑의 에너지를 받는 만큼 해당 근육이 발달한다. 근육질의 운동선수라도 모든 근육을 사용하기는 어려우므로 사용하지 않는 근육은 문제를 일으킨다. 근육을 사용하지 않으면 사랑의 에너지를 받지 못해 위축된다. 뇌도 사용을 하고 자주 써먹어야 위축되지 않는다. 사용함이나 움직임 자체가 사랑의 에너지로 이루어지므로 움직이면 사랑의 에너지를 공급받는다는 의미이다. 뇌도 근육도 쓰지 않으면 세포가 죽으며 위축된다.

우리 몸은 쓰지 않고 움직이지 않는 만큼 질병에 시달린다. 운동 부족이 질병으로 이어지는 이유이다. 운동이 과해도 사랑의 에너지 부족으로 질병으로 이어진다. 자기의 체력을 초과하는 힘을 쓰면 사랑의 에너지 공급 부족으로 활성산소가 생성되기 때문이다. 사랑의 에너지가 공급되지 못하면 활성산소가 생성된다. 활성산소는 뇌세포와 혈관을 이루는 내피세포를 죽이므로 노화와 질병으로 이어진다. 몸이 약하고 체력이 떨어진 사람이라도 욕심을 내지 않고 분수에 맞게 조심조심 살아가면 수명을 다 누린다. 하지만 부지런히 몸을 움직이며 일을 하며 살아가야 한다. 사랑의 에너지를 받을 수 있기 때문이다.

현대의학은 혈액순환만 잘 되면 건강하게 사는 것으로 생각한다. 운동은 비만하지 않기 위하여 섭취한 영양분을 태워 없는 것으로 생각한다. 혈액순환은 산소와 영양분을 공급하며 육신의 관리 유지를 위한 에너지를 공급하여 존재를 유지할 뿐이며 사랑의 에너지를 공급하는 것이 아니다. 사랑의 에너지는 마음이 호흡과 함께할 때 우리 몸으로 들어온다. 영혼이 활동해 경락을 열어주어야 단전호흡이 이루어져 우리 몸으로 들어온다. 우리 몸에 들어온 기는 경락을 통하여 마음이 하라는 대로 움직인다. 몸을 구성하는 조직은 움직여 주어야 사랑의 에너지를 받는다. 움직이지 않으면 사랑의 에너지를 받지 못해 생명 활동을 하지 못한다. 의도적으로 몸을 움직이지 않아도 자율신경이 지배하는 조직에는 운동과 관계없이 사랑의 에너지가 공급된다. 운동을 하지 않아도 체력은 소모되는 것이다.

우리 몸에 들어오는 사랑의 에너지는 움직인다고 들어오지 않고 호흡과 연관되어 피부의 기공과 경혈로부터 들어온다.

사랑의 에너지는 피부의 기공과 경혈로부터 들어오지만 호흡이 마음과 함께할 때 우리 몸으로 들어온다. 영혼이 활동해야 사랑의 에너지를 받는다. 천성의 마음인 하늘마음으로 호흡을 할 때 단전호흡이 이루어져 우리 몸으로 들어온다. 순간이라도 숨을 쉬지 못하면 사랑의 에너지를 받지 못한 세포는 생명 활동을 하지 못하고 죽는다. 숨을 목숨, 생명과 동일시하는 이유이다. 숨이 하단전으로 내려가야 생체전기가 된다. 복식호흡이 좋은 이유이다.

숨이 가슴으로 올라가는 흉식호흡이 되면 복식호흡 때보다 사랑의 에너지를 받지 못한다. 흉식호흡을 한다는 의미는 마음이 가슴에 주로 머문다는 의미이다. 호흡과 함께 들어온 사랑의 에너지가 가슴에 머물러 순환하지 못하는 것이다. 사랑의 에너지가 하단전으로 내려가야 순환이 이루어져 체력이 스스로 생성된다.

호흡과 함께 마음이 하단전으로 내려와야 사랑의 에너지가 따라 내려와 체력이 스스로 생산된다. 호흡은 마음과 함께 사랑의 에너지를 실어 나르는 나룻배 역할을 한다. 호흡이 사랑의 에너지를 실어 마음과 함께 하단전으로 내려오면 체력이 생성되고 내려오지 못하면 체력이 소모되는 것이다. 체력이 증강되어 건강하더라도 몸을 움직여야 움직이는 조직이 사랑의 에너지를 받는다. 부지런히 움직이며 일을 하는 사람이 장수를 누리는 까닭이다.

혈액순환도 심장의 박동 능력만으로 이루어지는 것이 아니다. 심장의 박동 능력만으로 혈액순환이 이루어질 수 있다면 운동을 하지 않아도 된다. 모세혈관에 혈압이 거의 없다는 사실은 심장의 박동 능력이 모세혈관까지 미치지 못한다는 의미이다. 심장이 혈액순환을 제대로 하려면 근육운동과 호흡운동의 도움을 반드시 받아야 한다. 근육이 수축하면 근육 내의 혈액은 심장 쪽으로 흐르고 이완하면 심장과 멀어지게 흐르므로 심장의 기능이 잘 유지되려면 근육운동과 심장의 박동 주기가 일치해야 한다.

근육운동을 하지 않을 때는 호흡운동의 도움을 받아야 한다. 호식으로 인한 횡격막의 수축이 생체전기를 생산하는 발전기의 피스톤 역할을 하기 때문이다. 근육운동을 할 때는 호식으로 인한 횡격막의 수축과 심장의 박동주기가 일치해야 한다. 따라서 몸을 움직이지 않을 때는 호식과 흡식을 번갈아 하는 호흡의 주기와 같은 주기로 단전호흡이 이루어진다. 몸을 움직일 때는 심장의 박동주기와 동일해야 하므로 흡식을 하지 말고 호식만 해야 한다. 호식 주기에 수축하는 횡격막이 생체전기를 생산하는 발전기의 피스톤 역할을 하기 때문이다. 호식을 할 때만 생체전기가 생성되는 것이다. 호식 주기에 상단전으로 흡수된 음기가 양기로 바뀌어 하단전으로 내려가면 단번에 생체전기가 되기 때문이다.

호흡을 멈추면 횡격막의 운동도 멈추므로 우리 몸은 사랑의 에너지인 음기와 양기를 받지 못하고 순환도 이루어지지 못하므로 사랑의 에너지를 받지 못한 세포는 죽는다. 코를 심하게 고는 순간무호흡증이라도 심혈관 질환을 악화시키는 이유이다. 요즈음은 우울증으로 이어짐이 밝혀지고 있다. 뇌세포가 죽는다는 것을 의미한다. 사랑의 에너지가 공급되지 못하면 활성산소가 생성되어 뇌세포와 혈관을 이루는 내피세포를 죽여 질병과 노화로 이어지는 것이다.

숨을 멈추면 사랑의 에너지가 공급되지 못해 세포가 죽는다. 영양분은 며칠 동안 공급되지 못해도 살아남지만 숨은 몇 분만 쉬지 않아도 죽는다. 사랑의 에너지가 공급되면 산소가 공급되지 않아도 세포의 생명 활동이 이루어진다. 예를 들어 보면 체력이 버티는 한 오랫동안 서 있어도 발뒤꿈치 세포는 죽지 않는다. 체력이 떨어지면 오래 서 있지 못하고 족저근막염도 온다. 또한 체중을 실어 손끝으로 버티면 손끝에는 혈액순환이 중단되어 산소가 공급되지 못하지만 조직은 괴사되지 않는다. 영양분은 세포 하나하나의 유지와 관리를 위한 에너지로 쓰인다. 쓰고 남는 에너지는 지방으로 축적되며 체력으로 이용되지 못한다. 영양분을 아무리 공급해도 사랑의 에너지가 고갈되면 수명을 다한다. 사랑의 에너지가 우선이다. 생명 활동이나 몸의 움직임이 사랑의 에너지로 이루어지기 때문이다.

뇌와 심장과 근육은 사랑의 에너지를 받아 순환시킴으로써 생산되는 생체전기로 작동된다. 뇌와 심장과 근육은 스스로 생체전기를 생산하지 못한다. 사랑의 에너지를 공급받지 못하면 이들도 작동되지 못하며 세포 하나하나의 생명 활동도 이루어지지 못한다. 영양분에서 얻는 에너지는 체온 유지에 쓰이며 체력으로 이용되지 않는다. 몸의 어느 부위이든 움직이지 않으면 사랑의 에너지를 받지 못해 위축되고 소멸된다. 사용하고 움직인다는 의미는 사랑의 에너지가 공급된다는 의미이다. 뇌도 사용하지 않고 내버려 두면 사랑의 에너지가 공급되지 못해 뇌세포가 죽어 위축되고 기능을 상실한다. 뇌경색이나 치매 현상이 오는 이유이다. 뇌의 기능은 슈퍼컴퓨터를 1,000대 연결한 것보다 우수하다고 한다. 이런 뇌를 많은 사람들이 써먹지 못하고 사장시키다 소멸된다. 40대가 되면 40~50%에서 크고 작은 뇌경색이 나타난다고 한다. 쓰지 않은 조직은 소멸시켜 생체전기를 아끼기 위한 자기방어 현상인 것이다. 근육도 쓰지 않으면 위축된다. 컴퓨터도 전기의 힘으로 작동되며 단전되면 기능을 하지 못한다.

천재적인 재능이 있어도 써먹지 않으면 의미가 없어진다. 써먹을 수 없는 일을 배우는 것은 의미가 없다. 사랑을 배워도 써먹지 못하면 실적이 오르지 못하기 때문이다. 일을 해도 사랑의 에너지를 되돌려 받도록 해야 한다. 창조주의 뜻에 일치하는 일을 해야 한다. 언제나 일을 하면서 자기가 하고 있는 일이 과연 창조주의 뜻에 일치하는 일인지 생각해 볼 필요가 있다. 창조주의 뜻에 어긋나는 일을 하면 사랑의 에너지를 받지 못하기 때문이다. 배우려 할 때도 반드시 써먹을 수 있는 것을 배워야 한다. 다른 사람을 행복하게 할 수 있는 일과 방법을 배우고 써먹을 수 있어야 사랑의 에너지를 되돌려 받는다. 정년퇴직을 했으니 일을 하지 않아도 되는 것이 아니다. 취미생활이나 건강관리만 한다고 건강이 유지되는 것이 아니다. 그렇게 살아가면 경락은 닫히며 사랑의 에너지를 받지 못해 체력이 소모되기만 한다. 반드시 창조주의 뜻에 일치하는 일을 해야 사랑의 에너지를 되돌려 받는다. 되돌려 받는 사랑의 에너지라야 건강과 젊음, 기쁨과 행복으로 이어진다.

창조주의 뜻에 일치하는 일을 하면 사랑의 에너지를 받는다

창조주의 몸인 인간뿐 아니라 자연과 다른 생명체를 돌보고 보살피는 일이 사랑이며 창조주의 뜻에 일치하는 일이며 인간이 해야 할 일이다. 인간만이 영혼을 받은 창조주의 분신이기 때문이다. 창조주의 분신이므로 창조주의 뜻에 따라 살아가야 한다. 인간이 창조주의 뜻에 일치하는 일을 하면 영혼이 활동해 사랑의 에너지를 되돌려 받는다. 창조주의 몸을 돌보고 보살피는 일은 창조주의 분신인 영혼을 소유한 인간만이 할 수 있으며 또한 인간에게 주어진 책무이다. 인간에게 주어진 책무를 수행할 때 인간은 사랑의 에너지를 보상으로 되돌려 받는다. 건강과 젊음, 기쁨과 행복, 번영과 성공은 인간이 사랑을 실천하는 일을 했을 때 창조주로부터 받는 보상이며 은총이다. 따라서 돈으로 살 수도 없고 누리는 시간을 연장하지도 못한다. 영혼이 활동하면 사랑의 에너지를 받는다.

환경의 파괴와 오염과 더불어 지구의 온난화는 날이 갈수록 심각해지고 인류 전체가 공멸할 위기에 처해 있다. 인류 공동의 자산인 지구 환경을 지구촌의 모든 인간이 단결해서 총력을 기울여 지키고 개선해야 한다. 오염시킨 자를 처벌하고 벌금을 물린다고 해결되지 않는다. 몇 개의 나라가 잘한다고 해결되지 않는다. 지구촌 모두가 일치단결해야 해결될 수 있다.

인류의 재앙은 이미 시작되었다. 자연의 파괴와 환경의 오염은 자연의 회복력으로 회복될 수 있는 한계를 넘어섰다. 더 이상 자연이 파괴되고 오염된다면 공멸로 이어질 것이다. 자연의 파괴는 창조주의 몸을 파괴하는 현상이므로 창조주의 뜻에 어긋나 소멸로 이어진다. 홀로 살아갈 수 없으므로 인류 모두가 협력하고 공생해야 한다. 공생하지 못하면 공멸한다. 개인의 능력이 아무리 크더라도 공멸에서 살아남지 못한다.

현 상태가 유지되더라도 사랑의 에너지를 받아들이고 순환시킬 수 있는 능력이 큰 사람만이 건강하게 살아남을 수 있다. 생체전기의 생산 능력이 큰 사람만이 생명력과 면역력, 적응력이 유지되어 건강하게 살아남는다. 탁기濁氣의 배출 능력이 큰 사람만이 오염된 환경에서 살아남는다. 온난화는 기를 늘어지게 하므로 사람을 쉽게 지치게 만든다. 결국 천성의 마음을 유지하는 사람만이 사랑의 에너지를 받을 수 있어 살아남는다.

천성의 마음은 하늘마음이며 순수한 마음으로 창조주의 마음이다. 욕심을 비운 마음으로 사랑을 나누고 베푸는 마음이다. 천성의 마음일 때 영혼이 활동한다. 인간은 영혼이 활동하면 경락이 열려 사랑의 에너지를 받을 수 있어 체력을 스스로 생산한다. 영혼이 활동하지 못하면 경락이 닫혀 사랑의 에너지를 받지 못하므로 저장된 체력을 소모하게 되어 노화와 수명의 단축으로 이어진다.

영혼이 활동하고 사랑의 에너지를 받으려면 창조주의 뜻에 일치하는 마음 상태이거나 일치하는 일을 할 때뿐이다. 일치하는 일이란, 창조주는 사랑이며 진 · 선 · 미 자체이므로 이와 일치하는 일이다. 창조주의 몸인 인간뿐 아니라 자연과 다른 생명체를 보살피고 돌보는 일이 사랑이다. 창조주의 몸과 일치와 조화를 이루며 하나가 됨이 사랑이다. 영혼은 양심과 이성을 가져 하늘마음인 양심이 발동하면 영혼이 활동하고 경락이 열린다. 인간은 서로 나누며 베푸는 삶을 살아야 한다. 사랑의 법칙을 따를 때 사랑의 에너지를 받아 번성하며 어긋나면 소멸의 길을 간다. 건강을 관리하기 위하여 운동만 하고 취미생활이나 여가활동만 한다고 사랑의 에너지를 받는 것이 아니다. 경락이 열리지 않기 때문이다. 창조주의 뜻에 일치하는 일을 해야 영혼이 활동해 경락이 열려 사랑의 에너지를 받는다.

지상의 모든 나라가 군비 경쟁을 버리고 일치단결하여 협력하며 상생해 사랑을 나누고 베푸는 경쟁으로 나선다면 지구는 당장 지상의 낙원으로 변할 수 있다. 전쟁을 위한 비용이 사랑을 실천하는 평화의 비용으로 대체되어야 한다. 국방을 위한 비용이 화석연료 소비 감축과 평화와 환경을 개선하는 비용으로 전환되어야 한다. 갈등을 위한 비용이 협력과 나눔으로 변해야 한다. 국제연합U.N.이 주도하여 세계화가 이루어져야 한다. 세계적 환경오염과 금융 위기를 효과적으로 극복하는 길이다. 지구에 사는 인간의 마음만 일치시키면 된다. 지구촌 모든 인간이 영혼의 존재와 영혼의 존재 이유를 알면 마음의 일치는 가능하다. 마음의 일치를 이루려면 세계적인 사랑 운동이 전개되어야 한다. 지구촌이 영혼을 소유한 인간의 사랑의 연수원임을 알게 해야 한다.

인간의 육신은 마음의 노예이므로 마음이 하라는 대로 할 수 있다. 지구촌 인간은 누구나 영혼을 소유한 창조주의 분신이다. 영혼의 존재를 깨우치기만 하면 된다. 영혼이 소유한 양심과 이성은 누구에게나 동일하므로 이를 깨우치기만 하면 모든 일은 가능해진다. 인간은 양심과 이성이 하라는 대로 살아가면 행복과 영생을 누린다.

인간 개인뿐 아니라 단체나 기업, 국가, 정치, 문화에도 해야할 일이 있고 하지 말아야 할 일이 있다. 해야 할 일은 창조주의 뜻에 일치하는 일이며 하지 말아야 할 일은 어긋나는 일이다. 인간이라면 누구나 나누고 베풀어 사랑을 실천하는 일을 해야 사랑의 에너지를 되돌려 받는다. 되돌려 받는 사랑의 에너지 양이 증가할수록 성장하며 번성하고 건강과 젊음, 기쁨과 행복을 누리고 삶의 목표에 도달한다. 영혼을 소유한 동일한 인간이 살아가는 지구이기 때문이다.

창조주의 뜻에 일치하는 일을 해야 사랑의 에너지를 되돌려 받아 영혼의 양기 순도가 높아진다

인간은 창조주의 뜻에 일치하는 일을 하기 위하여 태어난다. 사랑을 배우고 실천하는 일을 해 깨달음을 얻기 위하여 사랑의 교육장인 지상에 태어난다. 머리로 하는 말로만의 사랑은 의미가 없다. 땀 흘리며 힘들여 고난을 겪으며 몸으로 실천하는 사랑이라야 사랑의 에너지를 되돌려 받는다. 남이 하지 못하고 고통과 자기희생이 클수록 큰일이 된다. 사랑에는 반드시 자기희생이 따라야 한다. 말로만의 사랑은 죄를 짓는 일이다. 아픔이 없는 사랑은 없다. 희망과 소망이 이루어지려면 어려움과 아픔이 반드시 따른다. 자기희생이 따르지 않는 사랑은 사랑이 아니다. 창조주는 사랑 자체이므로 양기의 순도는 사랑의 순도로 나타난다. 영이 창조주와 한 몸이 되려면 창조주와 사랑의 순도가 가까워져야 한다.

인간이 사랑의 실천 실적을 얻어 깨달음이 깊어질수록 영혼은 양기의 순도 차원이 높아진다. 사랑의 에너지를 사랑의 실천에 쓰면 쓸수록 더 많이 되돌려 받는다. 되돌려 받는 사랑의 에너지라야 영혼이 자라고 성장하며 인격이 도야되고, 깨달음이 깊어지고, 양기의 순도를 높인다. 인간은 반드시 창조주의 뜻에 일치하는 일을 해야 사랑의 에너지를 되돌려 받는다. 일을 하지 못하면 사랑의 에너지를 되돌려 받지 못해 소멸의 길을 가야 한다.

사랑의 에너지를 되돌려 받으면 영혼은 자라고 성장한다. 지상의 삶은 영혼이 자라고 성숙하게 하는 기간이다. 영혼이 자라고 성숙해야 몸에는 건강과 젊음, 기쁨과 행복이 온다. 영계에서는 사랑을 배우거나 실천할 수 없어 영이 자라거나 성숙하지 못한다. 영혼이 사랑의 에너지를 받지 못하면 정신과 육신의 병으로 이어진다. 질병이나 고통은 사랑의 에너지가 부족하다는 경고를 주는 현상이다. 머리가 아프다는 의미는 사랑의 에너지 공급 부족으로 뇌세포가 죽고 있다는 의미이다. 진통제를 먹는다고 뇌세포가 죽지 않는 것이 아닌 것이다. 사랑의 에너지를 받지 못하면 활성산소가 생성되어 뇌세포와 혈관을 이루는 내피세포를 죽이므로 질병과 노화로 이어진다. 되돌려 받는 사랑의 에너지라야 치유가 가능해진다. 치유가 되더라도 한번 죽은 뇌세포는 되살아나지 않는다. 혈관이나 근육은 재생이 가능하지만 뇌세포는 한 번 죽으면 끝이다.

인간은 어려서부터 뇌세포가 죽지 않도록 경락이 열리는 삶을 살아야 한다. 처음부터 바른 마음과 자세로 바른 삶을 살아야 한다. 인간은 죽을 때까지 일을 열심히 할 수 있으면 행복하며 복 받은 삶이다. 영생을 누릴 수 있기 때문이다. 할 일이 없다면 이생을 마감해야 한다. 부지런히 몸을 움직여 일을 하며 살아가면 장수를 누린다. 몸을 움직여야 움직인 조직이 사랑의 에너지를 받는다. 몸을 고루 움직여주지 못하고 특정한 부분만 사용하므로 사용하지 못한 부위는 사랑의 에너지를 받지 못해 질병과 위축이 오고 퇴행성 변화가 오는 것이다. 근육이나 뇌는 사용하지 않아도 위축이 오고 과도하게 사용해도 질병으로 이어진다.

사랑의 에너지의 운행 원리

사랑의 속성은 언제나 먼저 나누고 베풀고 주면 더 크게 되돌아온다. 사업을 해도 이익을 먼저 챙기려 하면 실패로 이어진다. 개인이나 단체, 사업체, 국가, 정치도 해야 할 일이 있고 하지 말아야 할 일이 있다. 해야 할 일은 창조주의 뜻에 일치하는 일이며 하지 말아야 할 일은 어긋나는 일이다. 양심이 발동되어야 영혼이 활동해 사랑의 에너지를 받는다. 많은 사람의 양심이 합쳐질수록 받는 사랑의 에너지 양이 많아져 번성한다. 사랑을 베풀고 내가 베풀 수 있음에 감사를 드리면 실적은 두

배로 늘어난다. 항상 감사의 기도를 드리며 살아가는 사람은 삶이 아무리 고달파도 얼굴에 고뇌의 흔적이 없고 부드럽고 여유롭다. 경락이 열리기 때문이다. 인간은 매사에 감사하며 살아야 한다. 사랑할 수 있음에 감사해야 하고 사랑을 받을 수 있음에 감사해야 한다.

농사일을 할 때도 수확하는 모두를 순수하게 이웃에게 나누기 위하여 한다면 수확을 크게 거둘 수 있다. 재배하는 데에도 정성을 들이고 사랑을 줄 수 있기 때문이다. 이익에만 치중해 수지타산만 맞추려 한다면 농사가 제대로 되지 않고 수확의 성과도 나타나기 어렵다. 사업을 해도 정치를 해도 국가를 운영해도 마찬가지이다. 어떤 지도자도 개인의 욕심과 이익을 추구하면 안 되고 마음을 비워야 한다. 다른 영혼과 생명체에게 이익을 준만큼 번창하고 이익 챙기기를 위주로 했다면 망한다. 사업을 해도 양심과 이성이 따라야 사랑의 에너지가 공급되어 번성한다.

베풀고 협력하며 서로 나누며 상생하는 사회가 발전하고 번성하며 행복 지수가 높아진다. 기부 문화가 발달한 나라일수록 문화도 발달하고 잘 살게 된다. 부귀와 영화를 누린다 해도 사랑의 에너지가 부족하면 범죄의 발생 비율이 높아지며 인간성의 피폐로 이어지고 결국 소멸로 이어진다. 개인이든 단체, 기업, 국가, 문화든 창조주의 뜻과 어긋나고 호화와 사치나 범죄로 빠지면 몰락하게 된다.

사랑은 대가를 필요로 하지 않는다

인간에게 태양은 양기를, 땅은 음기를 무한정 공급하지만 대가를 바라지 않는다. 자기는 소멸됨을 감수하며 희생하고 주기만 하는 것이다. 창조주의 사랑은 이러한 조건 없는 사랑이며 이러한 사랑이 진정한 사랑이다. 대가를 바라고 사랑을 베풀면 사랑으로 되돌아오지 않고 원망으로 되돌아오기 쉽다. 베푼 사랑의 실적을 자랑하거나 공치사를 하면 사랑의 실적은 소멸된다. 이익을 먼저 주어야 번창하고 이익을 먼저 챙기면 실패하고 망한다. 많은 사람에게 행복과 이익을 주는 것이 사업을 성공시키는 비법이다. 친구가 되려면 먼저 베풀어야 한다. 자기에게 손해가 되더라도 주고 베풀 수 있는 친구가 영원한 친구가 될 수 있다.

사랑은 언제나 자기희생이 따라야 한다. 고통과 자기희생이 없는 사랑은 사랑이 아니며 위선이거나 기만이다. 고통과 자기희생이 크면 클수록 큰일이 된다. 주지도 않고 받지도 않으려 하므로 각박해진다. 사랑을 빙자해 자기의 욕심을 만족시키고 이익을 챙기려 하므로 불신 사회가 되고 사회가 부패하고 몰락의 길을 간다. 사랑의 법칙에 위배되면 번성하지 못하고 소멸의 길을 간다. 창조주는 사랑의 에너지를 통하여 우주 만물의 생성과 소멸을 주관하기 때문이다.

사랑은 내리 사랑이다

사랑은 줌으로서 받는다. 창조주의 몸인 인간뿐 아니라 모든 생명체와 자연을 돌보고 보살피는 일이 사랑이며 인간이 해야 할 일이다. 인간은 사랑을 배우거나 실천하는 일을 해야 사랑의 에너지를 되돌려 받는다. 사랑의 에너지를 사랑을 실천하는 데 써야 되돌려 받는다. 되돌려 받는 사랑의 에너지라야 생성과 번성으로 이어지고 건강과 젊음, 기쁨과 행복, 번영과 성공으로 이어진다. 사랑은 내가 먼저 사랑의 마음으로 다가가야 사랑으로 되돌아온다. 언제나 먼저 줌으로써 되돌려 받는다.

인간은 서로 돕고 나누고 베푸는 삶을 살아야 한다. 베푼 사랑은 되돌려 받으려 하면 안 된다. 되돌려 받으면 사랑의 실적은 감점으로 나타나기 때문이다. 그러므로 사랑은 내리 사랑이라고 말한다. 부모는 배가 고파도 자기보다 자식에게 먼저 준다. 한도 끝도 없이 자손을 사랑한다. 받은 사랑은 자손에서 자손으로 이어진다. 나보다 여유가 있는 사람의 도움과 보살핌을 받았다면 나보다 형편이 어려운 사람을 돕고 보살펴야 한다.

도움과 보살핌을 받기만 했다면 사랑의 실적에 감점으로 기록된다. 있을 때 돕는 것보다 없을 때 나누고 베푸는 것이 더 큰 실적이 된다.

사랑의 법칙은 인간사에 국한되지 않고 우주 만사에 모두 통용된다. 대가를 바라는 사랑의 실천은 실적으로 올라가지 못한다. 자기희생이 따라야 사랑의 실적으로 올라간다. 고통과 자기희생이 클수록 큰 일이 된다. 자기희생이 없는 사랑은 사랑이 아니다. 익명으로 선행을 하는 사람들은 이러한 원리를 아는 사람이다. 두 배의 보상을 받는다. 오른손이 한 일을 왼손이 모르게 하라는 이유이다. 기부 문화가 잘 이루어지는 나라일수록 잘 살고 번영하며 문화도 발전한다. 모두 사랑의 피드백이다.

사랑을 실천하면 돈이나 재물로 보상을 받기도 한다. 돈이나 재물은 또 다른 사랑의 실천 도구이다. 재물이 사랑의 실천 도구로서 효과적으로 사용될 수 있어야 사랑의 실천이 이루어지므로 번창한다. 사랑의 실천 도구가 사랑을 실천하는 데 쓰이지 않고 창조주의 뜻에 어긋나게 사용되면 소멸로 이어진다. 부정부패가 만연하면 그 사회나 단체는 소멸로 이어진다. 힘들게 돈을 벌어 쌓아놓고 쓰지 못하고 죽는 사람이 가장 불쌍하다. 사랑을 실천할 수 있는 도구를 모으기만 하고 사랑의 실적을 얻지 못해 영생을 잃었기 때문이다.

인간은 영혼을 소유한 창조주의 분신이다

인간은 부모로부터 육신과 생명을 받고 창조주로부터 영혼을 받는다. 태어날 때 우리 영혼은 육체에 깃든다. 이 육체는 곧 관과 같은 것인데, 이것은 끊임없이 붕괴한다. 그동안 우리의 영혼은 자라고 성숙하며 서서히 해방된다. 그리고 영혼과 육체를 결합시킨 창조주의 뜻에 따라 육체가 사망할 때, 영혼은 완전히 해방되는 것이다.

이 세상에서 우리는 정체불명의 커다란 배에 타고 있는 나그네 같은 입장이다. 선장의 손에는 언제, 어디에서, 누구를 상륙시킬 것인지, 우리 선객들은 전혀 알지 못하는 이정표가 들려있다. 그러므로 우리는 자신이 상륙하게 될 때까지 배 안의 율법을 굳게 지키고, 다른 사람들과 함께 평화와 협조와 사랑 속에서 자기에게 주어진 시간을 보내고자 노력하는 것 말고 다른 어떤 것을 할 수 있겠는가!

톨스토이의 말이다.

죽음에 대한 준비는 오직 하나다. 바른 마음으로 바르고 선한 삶을 사는 것이다. 양심과 이성이 작동되는 삶을 살아야 한다. 우리는 각자 자기의 십자가를 지고 있다. 스스로를 구속하는 멍에를 지고 있다. 그러나 그것은 고난의 의미가 아니라 하늘이 주는 천명이며 넘어야 할 산이며, 해야 할 숙제이며 지고 가야 할 십자가이며 인생의 사명이다. 어차피 넘어야 할 산이며 사명이라고 생각하면 견뎌내기가 한결 수월해진다. 자기의 십자가를 고통으로 생각하든가 내려버리려 하면 할수록 점점 더 힘들어지기만 할 뿐이다.

고통이나 고난이야말로 나에게 은혜로운 것이다. 가족을 위하여 땀 흘려 노동하는 것이 노동이 아니다. 부모의 대소변을 받아낸다고 고역이 아니다. 노동이며 고역이지만 넘어야 할 산을 넘는 은총이며 은혜이다. 노동이며 고역이지만 숙제를 완성하는 것이며 산을 넘는 발판이 되는 것이다. 사랑은 자기희생이 따라야 사랑이다. 고통과 자기희생이 없는 사랑은 사랑이 아니며 위선이거나 기만이다. 이웃에 대한 사랑 속에서만 우리가 행복을 발견할 수 있다. 인간의 참된 행복은 영혼의 행복뿐이다.

인간은 육체가 바라는 바를 해서는 안 되고 우리 안에 있는 영혼이 바라는 바를 행해야 한다. 영혼이 소유한 양심과 이성이 하라는 대로 살아가면 된다. 지구촌의 모든 인간은 누구나 동일한 양심과 이성을 소유한다. 남을 속일 수는 있어도 자신의 영혼의 마음인 양심은 속이지 못한다. 창조주의 뜻에 일치하는 일이 사랑이며, 사랑을 배우거나 배운 사랑을 실천하는 일을 하면 사랑의 에너지를 되돌려 받는다.

　인간은 창조주의 분신이므로 인간이 창조주의 뜻에 일치하는 일을 하거나 일치하는 마음 상태일 때 영혼이 활동해 경락을 열어주면 사랑의 에너지를 받는다. 사랑을 배우거나 실천하는 일을 해야 사랑의 에너지를 되돌려 받는다. 사랑의 에너지를 되돌려 받아야 영혼이 자라고 성숙하고 인격이 도야되며 깨달음도 깊어지고 양기의 순도를 높인다.

　창조주의 뜻에 일치하지 않는 행위는 죄를 짓는 행위이므로 사랑의 에너지를 받지 못해 소멸로 이어진다. 사랑의 에너지가 공급되지 못하면 활성산소가 생성되어 뇌세포와 혈관을 이루는 내피세포를 죽이므로 노화와 질병으로 이어진다. 체력을 이용해 창조주의 뜻에 일치하는 일을 하면 일한 것만큼 사랑의 에너지를 되돌려 받는다. 되돌려 받는 사랑의 에너지라야 영혼이 자라고 성숙하며 건강과 젊음, 기쁨과 행복으로 이어진다.

5

인간으로 태어남의 의미

영은 양기의 순도를 높이기 위하여 인간으로 태어난다

지상에 태어난 인간의 영혼은 창조주의 은총을 받은, 심한 경쟁을 뚫고 선택된 영이다. 하늘에 별이 많듯이 영계에도 무수한 영이 사랑의 연수원인 지구에서 연수 받기를 원한다. 사랑을 배우고 실천하여 실적을 얻고 깨달음을 얻어 사랑의 순도를 높이기 위해서다. 사랑의 순도인 양기의 순도가 높아져야 창조주와 보다 가까이에서 영생을 누릴 수 있기 때문이다. 창조주의 은총을 받지 못하면 태어나지 못한다. 인간은 얻어먹을 수 있는 힘만 있어도 창조주의 은총을 받은 것이다. 그러므로 인간은 언제나 매사에 감사하며 살아가야 한다.

영靈은 영적 차원의 상승으로 창조주와 더 가까이 하기 위하여 인간으로 태어난다. 사랑을 배우고 실천하여 사랑의 에너지를 되돌려 받아 양기의 순도를 높이기 위하여 태어난다. 인간으로 태어났다는 의미는 창조주의 은총을 받은 것으로 장하며 대단한 일이다.

인간으로 태어나려는 영은 사랑의 실천 계획과 방법을 제시하고 어려운 심사과정을 통과해야 한다. 영은 전생에 이룬 사랑의 실적을 보충하기 위하여 경쟁적으로 사랑의 연수원에 입소하려 한다. 난이도가 높은 삶을 살수록 높게 평가받는다. 부귀와 영화를 누리는 삶이 복 받는 삶이 아니라 사랑의 실적을 크게 올릴 수 있는 삶이 복 받는 삶이다. 인간으로 태어나려면 영계에서 오랜 세월 기다려야 한다. 지구상에 태어나는 시기와 장소가 맞아야 하고 자기의 실정에 적합한 부모를 배정받는 것도 쉬운 일이 아니다. 태어나려는 목적은 사랑의 연수원에 입소하여 사랑을 배우고 실천함으로써 양기의 순도를 높이고 영적 차원을 높여 창조주와 더 가까워지는 것이다. 영혼이 창조주와 함께 영생을 누리는 것이다.

지구촌의 인간은 누구나 사랑을 배우고 배운 사랑을 실천해 사랑의 실적을 올림으로써 양기의 순도 차원을 높이기 위하여 사랑의 연수원에 입소한 학생들이다. 사랑을 배우고 실천하여 깨달음을 얻기 위하여 공부를 하는 학생이다. 창조주의 뜻에 일치하는 일을 해야 하는 동일한 목적을 가진 학생들이다. 지구상의 인간은 모두 영생을 함께 누릴 영혼들이며 동창생들이거나 선후배인 이웃이다. 따라서 이웃을 내 몸 같이 사랑해야 한다. 이웃은 경쟁의 대상이 아니며 서로 협력하고 돕고 나누고 베풀며 상생하며 공생해야 하는 존재이다. 서로 사랑하며 사랑의 실적을 얻기 위하여 태어나기 때문이다.

사랑의 실천에도 난이도가 있다. 평범하고 편안하고 안이한 삶은 난이도가 높은 삶이 아니다. 인간사회에서 부러워하는 복 받는 삶은 난이도가 높은 삶이 아니다. 부귀와 영화를 누리는 것은 복 받은 삶이 아니며 삶의 목적이 될 수 없다. 부귀와 영화를 누리면 양기의 순도 차원을 높이기 어렵다. 몸을 움직여 일을 함으로써 사랑의 에너지를 되돌려 받아야 양기의 순도가 높아진다. 되돌려 받는 사랑의 에너지 양이 많을수록 건강과 행복을 누리고 영혼의 양기 순도의 차원이 높아진다.

인간의 삶의 목적은 사랑을 실천하는 일을 해 사랑의 에너지를 되돌려 받는 것이다. 되돌려 받는 사랑의 에너지라야 건강과 젊음, 기쁨과 행복으로 이어진다. 인간의 삶의 목적은 기쁨과 행복을 누리는 것이다. 되돌려 받는 사랑의 에너지라야 영혼이 자라고 양기의 순도 차원이 높아져 영생을 얻는다. 영생을 얻게 되므로 기쁘고 행복해지는 것이다. 영생을 얻어 다시 태어나 울지 않아도 되니 다시 태어나지 않는 것이 가장 큰 행복이다.

남이 하기 어려운 일을 하고 고통과 자기희생이 클수록 큰 일이 된다. 사랑은 자기희생인 경우에만 사랑이다. 자기희생이 없는 사랑은 사랑이 아니며 기만이거나 위선이다. 복 받는 삶은 자기희생이 큰 삶을 사는 것이다. 사랑하는 사람을 위하여 생명을 버리면 영생으로 되돌아온다. 다른 영혼에게 영생을 얻게 하면 나의 영생으로 되돌아온다. 가장 확실한 영생을 얻는 방법이다. 파란 만장한 삶을 살아감도 다 의미가 있다. 난이도가 높은 삶일수록 고난과 고통을 감수하는 삶을 살게 된다. 장애인의 삶은 난이도가 높은 삶 중의 하나이다. 다른 영혼에게 사랑의 실적을 올려주어 영생을 얻게 하는 고통을 대신하는 고난도의 삶이다.

다른 영혼을 행복하게 한 만큼 나의 행복으로 되돌아오고 삶의 실적이 된다. 돌보는 사람은 힘들고 어렵겠지만 사랑의 에너지를 되돌려 받아 영생을 누린다. 부부가 백년을 해로하며 살아가면 모두가 천국으로 간다. 치매환자가 된 배우자를 지극정성으로 돌보아 사랑의 에너지를 되돌려 받으면 그는 천국으로 간다. 치매환자는 배우자에게 자신을 희생하여 사랑의 실적을 올려줌으로써 영생에 들게 했으므로 자기의 영생으로 되돌려 받아 결국 해로하는 부부는 모두 영생을 누린다.

부부는 서로 상대방의 부족한 면을 채워줄 수 있을 때 완성으로 이어진다. 자기의 부족함을 채우려만 하면 사랑으로 작용하지 못해 갈라서게 된다. 사랑의 에너지를 먼저 주어야 되돌려 받는 것이다. 사랑은 인간뿐 아니라 우주 만물과 하나가 될 수 있는 끈 역할을 한다. 사랑을 나누고 베풀어 사랑의 에너지를 되돌려 받을수록 하나됨이 견고해진다. 희생을 더 이상 감수하지 못하고 더 이상 도움을 받을 일이 없을 것 같아 황혼 이혼을 하는 사람은 영혼이 받을 복을 차버리는 셈이다. 차버린 영혼을 돌본 영혼이 영생을 누린다. 사랑의 법칙이며 인과응보의 법칙이다.

인간이 살아가며 겪는 인간사에서 실패는 성공의 발판이며 병고는 각성의 기회이다. 아픔과 고통은 영혼이 육신에게 각성하라는 증표이며 경고이며 은총이다. 몸에서 나타나는 통증은 영혼이 인간에게 주는 경고음이며 은혜이다. 통증을 유발하지 않고 암이 지속된다든가 심근경색이 온다면 각성의 기회는 오지 않는다. 인간은 아픔이 없으면 각성의 기회가 오지 않고 오히려 기고만장해진다. 각성할 수 있는 기회를 주심에 감사하면 아픔이나 질병은 언제나 해결된다.

인간은 창조주의 뜻에 일치하는 일을 함으로써 되돌려 받는 사랑의 에너지 양이 많을수록 건강과 젊음, 기쁨과 행복을 누린다. 건강과 젊음, 기쁨과 행복, 번영과 성공은 인간이 사랑을 실천하는 일을 함으로써 창조주로부터 받는 대가이며 보상이며 선물이며 은총이다. 건강과 젊음, 기쁨과 행복을 누린 자의 영혼만이 영생을 누린다.

인간의 마음

현대의학은 마음을 인성 부분만 다루므로 천성 부분을 누락해 영혼의 존재에 대해서는 생각조차 하지 않는다. 초의식 super-ego을 학문적으로는 다루고 있으나 천성의 마음을 일반화하지 못한다. 영혼이 없는 생명체는 하나의 마음과 정신을 갖는다. 생명이 없는 무생물도 창조주의 마음인 우주의식을 갖는다. 우주의식은 하늘마음이다. 하늘마음이 작동되어야 사랑의 에너지를 받을 수 있다. 우주 만물은 사랑의 에너지를 받으면 생성으로 이어지고 받지 못하면 위축과 소멸로 이어진다. 사랑의 에너지를 받으면 팽창하고 빼앗기면 수축하는 것이다.

팽창과 수축을 되풀이 하는 것이 우주현상이며 자연현상이다. 생성과 소멸을 지속하는 현상이 생명현상이며 우리의 삶이다.

인간은 영혼을 소유하므로 인간의 마음과 정신에는 인성과 천성이 있다. 인성의 마음은 부모로부터 받은 마음으로 생각이고 하고자 하는 욕심이다. 천성의 마음은 창조주로부터 받은 영혼의 마음으로 창조주의 마음이며 우주의식이며 하늘마음으로 양심이다. 인간의 삶에서 마음과 정신을 인성 부분으로만 설명하므로 분명할 수가 없다. 불교에는 영혼인 참 나와 아뢰야식阿賴耶識이 있다.

불교의 영혼과 아뢰야식

불교에는 죽은 후에도 소멸되지 않는 인간의 8번째 식識인 아뢰야식阿賴耶識이 있다. 이는 영혼의 마음인 양심이 작동되어 생기는 의식이다. 윤회輪廻를 거듭하며 행하고 말하고 생각한 모든 삶의 경험이 기억으로 정보화되어 아뢰야식에 그대로 저장되어 보관되었다가 다시 태어날 때 갖고 나온다는 것이다. 전생에서 얻는 선험적 지식인 것이다.

육체적으로 행한 신업身業, 말과 먹는 것으로 한 구업口業, 마음으로 생각한 의업意業이 모두 영혼이 갖는 아뢰야식에 저장된다. 업(業, 카르마)이란 전세前世의 소행으로 말미암아 현세에서 받는 응보應報를 말한다. 고운 마음을 가진 업이 전달되면 다음 생에서 고운 마음을 가진 생이 태어나고 나쁜 마음을 가진 업이 전달되면 나쁜 마음을 가진 생으로 태어나므로 생전에 좋은 업을 쌓아야 한다는 것이다. 목표에 이르면 열반涅槃에 들게 된다. 자비는 사랑이며 공덕이란 사랑을 배우거나 실천하여 얻는 사랑의 실적이다.

인간이 아무도 모르게 실행한 아주 작은 선행이나 마음속으로 저지른 작은 잘못도 몸속의 영혼은 모두 알아차리고 육신에게 상도 주고 벌도 준다. 보상으로 사랑의 에너지를 주고 벌로 사랑의 에너지를 주지 않는다. 상과 벌로서 끝나는 것이 아니라 실적을 우주컴퓨터에 기록한다.

우주는 거대한 전자기체이므로 자체가 대형컴퓨터라고 말할 수 있다. 창조주는 대우주로 우주컴퓨터이며 분신인 인간은 소우주로 개인 컴퓨터이다. 개인 컴퓨터에 기록되는 정보는 우주컴퓨터에 동시에 기록된다. 우주의 사랑의 에너지의 양이 일정하고 에너지보존법칙이 유지되며 창조주가 사랑의 에너지를 통하여 우주 만물의 생성과 소멸을 주관하고 통섭하기 때문이다. 우주는 시작도 끝도 없이 생성과 소멸을 되풀이하며 항상성을 유지한다. 생성되는 만큼 소멸되고 소멸되는 만큼 생성되므로 질량불변의 법칙과 에너지보존법칙이 유지되는 것이다.

불교에서는 마음과 의식을 좀 더 명확하게 8개로 구분하여 정리한 팔식설八識說이 있다. 우리는 눈과 귀, 코, 혀, 피부로부터 자극을 받아들이므로 이들을 오관五官, 五根이라 한다. 오관으로 인하여 생기는 안식眼識, 이식耳識, 비식鼻識, 설식舌識, 신식身識을 전오식前五識이라 한다. 그 다음이 여섯 번째 생각 意에서 오는 의식意識을 합하여 육식六識이라 하고 이들을 총칭해 뇌식腦識이라 한다. 뇌가 하는 모든 의식 활동을 말한다.

마음이라고 말할 때는 인간의 정신활동 중 이성적인 부분인 의식과 감정적인 부분의 바탕이 되는 말나식末那識이 합해져야 한다고 한다. 말나식은 일곱 번째 식識으로 뇌식인 육식六識이 나의 이익과 결부되어 생기는 의식이다. 생리적 욕구나 생존의 본능에 바탕을 둔 결정은 말나식의 작용에 의한 것이다. **나에게 이익이 되게 판단하고 결정하는 마음으로 욕심慾心이다. 자아自我, 에고ego, 이기利己, 본능本能의 마음이다.**

이 이외에도 여덟 번째로 아뢰야식阿賴耶識이라 하여 영혼의 마음인 천성의 마음으로 생기는 식識이 있다. 초자아超自我, 초의식superego, 본성本性, 이타利他, 참 나의 마음으로 하늘마음이며 양심良心이다. 양심은 악한 행위를 하지 않고 선한 일을 하는 마음이다. 양심은 이성을 소유하므로 해야 할 일과 하지 말아야 하는 일을 안다.

양심은 영혼의 마음이며 창조주의 뜻에 일치하는 마음이다. 양심은 선험적 지식으로 창조주로부터 영혼과 함께 받는다. 따라서 인간의 마음은 전오식前五識과 후삼식後三識인 의식, 말나식, 아뢰야식이 유기적으로 결합되어 작용하는 것, 즉 여덟 가지 식識의 총체적 작용이 마음이다.

인간의 마음은 인성의 마음과 천성의 마음이 합쳐진 것이다. 인성의 마음은 무엇이든 하고자 하고 얻고자 하는 마음이므로 욕심이다. 천성의 마음은 순수한 하늘마음이며 우주의식이며 사랑의 마음이며 양심이다. 양심은 나쁜 짓은 하지 않고 선하고 바른 행동을 하는 마음이다. 양심은 창조주의 마음이며 하늘마음으로 순수하고 참된 마음으로 진심眞心이다. 참 나眞我의 마음인 진심眞心으로 살아가는 삶이 진생眞生이다. 인성의 마음으로 살아가는 삶이 자아自我이며, 천성의 마음으로 살아가는 삶이 초자아超自我이며 참 나의 삶으로 진아眞我이다. 선천의 마음인 신神으로 살아가므로 신아神我라고도 한다. 천성의 마음인 신神을 알게 되면 신통神通하여 깨달음이 오며 우주의 생성 원리를 알게 된다.

인간사에서 선과 악, 바르고 그릇됨의 기준은 창조주의 뜻이다. 창조주는 사랑이며 진·선·미 자체이다. 영혼은 창조주의 분신이므로 영혼의 마음은 창조주의 뜻에 일치하는 하늘마음이다. 사랑하고 참되고 선하고 아름다운 마음이 천성의 마음이다. 사랑과 진·선·미로 인하여 생기는 마음이 천성의 마음이다. 인간이 지·덕·체와 진·선·미를 키워야 하는 이유이다. 진·선·미를 느끼고 감탄하거나 감사할 때 사랑의 에너지를 받는다. 창조주의 몸인 인간뿐 아니라 자연과 다른 생명체를 보살피는 마음이 사랑의 마음이므로 사랑을 배우거나 실천하는 일을 하면 사랑의 에너지를 되돌려 받는다.

불교에서는 이러한 인간의 삶(신업身業, 구업口業, 의업意業)을 영혼이 소유한 아뢰야식에 저장한다고 말한다. 언제나 인과법칙과 사랑의 법칙이 적용된다. 결과는 영혼의 사랑과 양기의 순도로 나타나 깨달음을 얻어 각혼覺魂이 된다. 사랑의 에너지를 되돌려 받을수록 영혼의 사랑과 양기의 순도는 높아진다. 창조주로부터 영혼을 받고 태중에서 부모로부터 정기를 받아 생혼生魂이 되어 태어나 성장하며 사랑을 배우고 실천해 깨달음을 얻고 각혼이 되어 영계로 되돌아가는 것이 인생이다. 인생은 배움과 깨달음의 연속인 학생의 삶인 것이다. 인생의 완성은 인격의 완성이며 깨달음의 완성으로 나타나 영혼이 양기의 순도 차원을 높인다. 사랑을 통하여 이루어지는 것이다. 사랑의 실적은 배움보다 실천이므로 실천하여 깨달음을 얻어 영혼이 자라고 성숙될 수 있도록 최선을 다해야 하는 것이다. 사랑을 나누고 베푸는 삶을 살아야 하는 것이다.

인간이 천성의 마음을 알면 창조주를 알게 되어 도를 통하게 된다. 도道란 하늘에 이르는 길이며 창조주와 일치를 이루어 하나가 되는 길이다. 하늘에 있으면 천도天道, 땅에 있으면 지도地道, 사람에 있으면 인도人道이니 나누면 삼극三極이 되고 합치면 한 근본이 된다. 하늘과 땅과 사람은 하나라 사람은 하늘과 땅의 본심을 잃지 않으면 천지만물의 근본이 나와 일체를 이루므로 도道를 통한다. 땅도 사람도 모두 하늘의 이치와 상통하여 하늘과 땅, 인체의 운행이 모두 같은 이치로 이루어진다. 우리 몸을 이루는 육장육부의 기능도 지구의 사랑의 에너지 순환과 일치하며 이루어진다. 해가 뜨면 깨어나 일을 하고 해가 지면 일을 하지 않고 쉬거나 잠을 자야 육장육부의 기능이 잘 유지되는 것이다.

참 나를 알게 되면 깨달음이 온다. 일하는 분야와는 상관없이 창조주의 뜻에 일치하는 일을 열심히 몰두하여 하면 깨달음도 얻고 신의 경지에 도달해 전문가도 되고 달인도 된다. 깨달음에도 깊이와 폭이 있어 사랑의 법칙, 자연법칙, 인과법칙을 아는 정도로 나타난다. 인간은 누구나 살아가면서 나름대로 깨달음을 얻으며 인격을 도야하고 하늘나라로 되돌아간다.

인성과 천성의 마음

인성의 마음은 부모로부터 받고 태어난 마음이다. 뇌가 육신의 오관五官을 통하여 감각을 느끼고 생각하고 의식 활동을 하여 뇌식腦識을 함으로써 생기는 마음으로 욕심慾心이다. 천성의 마음은 창조주로부터 받은 마음으로 하늘마음이며 영혼의 마음이며 양심이다. 양심은 이성을 가져 해야 할 일과 하지 말아야 할 일을 안다. 해야 할 일은 창조주의 뜻에 일치하는 일이며 하지 말아야 하는 일은 창조주의 뜻에 어긋나는 일이다. 창조주는 사랑이며 진·선·미 자체이므로 하늘마음이며 양심은 순수하고 참되고 선하고 아름다운 마음으로 사랑의 마음이다.

마음은 음기이지만 인성의 마음이 음이며 천성의 마음은 양이다. 자연에 존재할 수 있는 음기는 수기(6/7음:1/7양)와 금기(4/13음: 9/13양)이다. 인성이 강한 사람의 마음은 인성이 6/7인 85.7%이며, 천성이 1/7인 14.3%이다. 인성이 약한 사람의 마음은 인성이 4/13인 30.8%이며, 천성이 9/13인 69.2%이다. 인간의 인성의 마음은 30.8%~85.7%이며, 천성의 마음은 14.3%~69.2%이다. 이러한 범위에서 벗어난 사람은 지상에 태어나지 않는다. 창조주와 가까이에서 영생을 누리기 때문이다. 불교에서 말하는 해탈의 경지이다. 평균적인 인간의 인성의 마음은 70%이며 천성의 마음은 30%이다. 자연에서의 평균적인 음과 양의 비율과 일치한다. 인간의 삶도 우주 자연 현상의 일부임을 의미한다.

아무리 선한 사람이라도, 옳은 일이라 하더라도 1/7인 14.3%의 악을 소유한다. 아무리 악한 사람이라도, 옳지 않은 일이라도 1/7인 14.3%의 선함을 갖는다. 세상의 모든 사물이나 현상은 순기능과 역기능, 플러스 요인과 마이너스 요인을 함께 갖는 것이다. 100% 선이나 악, 옳고 그름은 지상에 존재하지 않는다. 선이나 악 자체는 존재하지 않는 것이다. 자기의 생각이 그 편에 서는 것이다. 자기의 주장만 옳다고 생각함은 잘못이다. 예외 없는 법은 없고 자연이나 인간사에서 순수한 음이나 양은 존재할 수 없기 때문이다. 매사에 장단점이 있고 절대적인 선도 악도, 옳고 그름도 없는 것이다. 편을 가르고 자기편의 이익만 챙기려 할 때 소멸로 이어진다. 협력하며 나누고 베풀어야 성장과 번창으로 이어진다. 사랑은 하나가 되고 일치를 이루는 것이다.

창조주만이 100% 순수하고 선하고 바르므로 유일한 존재이므로 참이며 진리 자체이다. 창조주를 사랑이며 진·선·미 자체라 하는 이유이다. 자연과 이로 인한 현상에는 100% 순수한 진리나 선함이나 아름다움이 존재하지 못한다. 순도가

6/7(85.7%)을 넘지 못한다. 언제나 음과 양이 결합한 존재이기 때문이다.

인간의 정신이나 마음은 태어날 때부터 인성과 천성의 비율이 다르게 태어난다. 우주컴퓨터에 입력되어 저장된 전생의 양기의 순도가 영혼마다 다르기 때문이다. 영혼은 퍼스널 컴퓨터와 마찬가지로 영원히 업그레이드upgrade 되는 소프트웨어이다. 지금의 생이 바로 최신 버전이다. 인간의 본질은 동일하지만 양기의 순도가 다르고 역할이 서로 다르다. 그러므로 살아가는 모습도 다르고 생각함도 다르고 사랑의 실천 능력도 다르다.

동양철학에서는 사람마다 태어나는 팔자가 다르며 이를 주역으로 풀고 있다. 생년과 생월, 생일, 생시를 팔자라 하여 운명을 좌우한다. 사람은 우주의 기의 순환과 일치를 이루어 태어나므로 태어나는 시기와 장소와 시각에 따라 음양오행의 성분을 다르게 갖고 태어난다. 오행 사주를 받고 태어나는 사람은 화 수 목 금 토의 5가지 기운을 모두 갖고 태어난다. 태어나는 장소와 시대, 계절, 시각에 따라 음과 양의 성분을 다르게 받고 태어난다. 지구가 태양과 다른 별들과 더불어 우주에서 회전하며 받는 사랑의 에너지 양상이 달라지기 때문이다. 음양의 성분을 다르게 받아 육장육부의 기능과 성능도 달라진다.

지구가 자전하고 태양 주위를 공전함으로써 낮과 밤, 계절, 시각에 따라 특정한 장소에서 받는 음기와 양기의 강약은 순간마다 달라진다. 어떤 기운을 받고 태어나느냐에 따라 오행이 갖는 성질과 본성과 운명을 누리게 된다. 태어날 때는 모두 8개의 오행을 받는데 고르게 받지 못하고 한 가지 덕목을 1개, 또는 2개, 3개씩 받아 합이 8개가 되므로 오행을 고르게 모두 갖고 태어나는 사람이 많지 않다고 한다. 어느 덕목이든 치우쳐 3개를 받는다면 오행 사주가 되기 어렵다.

인간의 덕목德目의 오행은 지智·예禮·인仁·의義·신信이며 각각은 수·화·목·금·토의 기운이다. 오행의 덕목을 모두 받고 태어날 때 완전한 인간이 된다. 균형 잡힌 인간의 덕목이 없이 지智만 있다면 모사지謀事者, 예禮만 있다면 비굴한 자, 인仁만 있다면 바보, 의義만 있다면 불한당, 신信만 있다면 맹신자盲信者가 된다. 누구나 자세히 관찰해 보면 이러한 요인을 모두 갖고 있고, 많고 적음에 따라 인간성이 다르게 나타난다.

이상적인 부부가 되려면 부족한 음양오행의 성분을 서로 보충할 수 있어야 한다. 그렇게 할 때 자손은 고른 음양오행의 복을 모두 받고 태어나게 되므로 완전한 인간이 되고 가정과 사회가 번성한다고 한다. 사람인人에서 보듯이 부부는 서로 부족한 면을 보충할 수 있을 때 협력하며 상생하며 서로 지탱할 수 있어 원만한 삶을 살아갈 수 있다.

자기의 부족한 면을 채우려하기 보다 상대방의 부족한 면을 채워줄 수 있어야 한다. 언제나 줌으로서 받기 때문이다. 부부가 살아가면서 자기의 부족한 면을 채우려 하면 욕심으로 작용하여 사랑의 에너지를 받지 못하여 파경에 이르고 갈라서게 된다. 상대방의 부족한 면을 채워주려 하면 사랑으로 작용하여 사랑의 에너지를 받아 사랑은 더욱 견고해진다. 사랑은 줌으로서 받고 나누며 베풀어야 사랑으로 되돌아오기 때문이다. 인간이 나누고 베푸는 삶을 살아가야 하는 이유이다. 사랑의 법칙이며 인과법칙이다.

인성의 마음이 사랑의 에너지를 받으면 받을수록 순수해져 천성의 마음이 된다. 인성의 마음이 천성의 마음이 되면 영혼은 영생을 얻는다. 참 나를 알게 되면 깨달음이 오고 천성의 마음으로 바뀐다. 양기의 순도가 창조주와 가까워져야 영혼이 영생을 얻는다. 인성의 마음이 1/7인 14.3% 이하가 되든가 천성의 마음이 6/7인 85.7%를 넘어가야 영생을 누린다. 인간은 영생을 누리기 위하여 윤회하며 다시 태어난다.

인간사 모두 마음먹기에 따르므로 일체유심조一切唯心造이다. 인성의 마음이 아닌 천성의 마음이라야 마음먹은 대로 이루어진다. 마음을 지배하는 힘의 원천을 신神이라 한다. 신은 천성의 마음이며 우주의식이며 영혼의 마음으로 하늘마음이다. 하늘마음으로 사랑의 에너지를 받아 인성의 마음이 순수해져 천성의 마음으로 돌아가면 신통神通하여 깨달음을 얻고 하늘의 뜻을 알고 사랑의 법칙, 자연법칙을 이해하게 된다. 천성의 마음이라야 영혼이 활동해 사랑의 에너지를 받는다.

인성과 천성의 선천기

선천기先天氣란 인간이 태어날 때 갖고 나오는 정기精氣이다. 정精은 육신을 지배하고, 기氣는 정신精神을 지배하는 힘의 원천이다. 정기는 부모로부터 받은 인성의 선천기이며 생체전기로 충전된 배터리이다. 인간은 정기를 소모하며 살아가다가 정기가 소진되면 수명을 다한다. 정기를 소모하여 발전기를 돌려 생체전기를 생산하기 때문이다. 영혼이 활동하면 사랑의 에너지를 받아 생체전기는 스스로 생성되지만 영혼이 활동하지 못하면 선천기를 생체전기로 바꾸어 사용해야 하므로 정기가 소모되며 수명의 단축으로 이어진다. 영혼이 활동하면 쓰고 남는 생체전기는 정기로 바꾸어 저장되므로 수명이 연장된다.

인간은 태어날 때 인성과 천성의 선천기를 받고 태어난다.

천성의 선천기는 영혼의 소유이며 창조주의 분신이므로 변하거나 소모되지 않는다. 영혼은 노화하지 않으며 나이를 먹지 않고 능력이 떨어지지도 않는다. 사랑의 에너지를 먹고 자라며 성숙하며 양기의 순도를 높일 뿐이다. 인간이 죽더라도 영혼이 죽지 않고 변하지 않는 이유는 변하거나 소모되지 않는 천성의 선천기 때문이다. 죽은 사람이 나이를 먹지 않는 이유이다. 천성의 선천기는 양이며 인성의 선천기는 상대적으로 음이다.

자연에 존재할 수 있는 양기는 화기(2/9음:7/9양)와 목기(8/11 음:3/11양)이다. 기가 강한 사람의 천성은 7/9인 77.8%이며, 인성은 2/9인 22.2%이다. 기가 약한 사람은 천성이 3/11인 27.3%, 인성이 8/11인 72.7%이다. 그러므로 인간의 기는 인성이 22.2~72.7%이며 천성이 27.3~77.8%이다. 이러한 범위를 벗어난 인간은 없다.

인성의 선천기가 2/9인 22.2% 미만이거나 천성의 선천기가 7/9인 77.8% 이상인 사람은 태어나지 않는다. 간혹 인간을 구원의 길로 인도하기 위하여 태어나기는 한다. 평균적인 인간의 정신氣과 마음은 인성이 70% 정도이며 천성이 30% 정도라 한다. 자연의 음과 양의 비율인 7:3과 일치한다. 지상에 태어난 인간이 한 번의 생으로 단번에 영생을 누리기가 쉽지 않다는 의미이다. 윤회輪回가 이루어지는 이유이다.

인간이 나이를 먹는다고 영혼의 능력이 변하지 않는다. 사랑을 베풀고 사랑의 에너지를 받아들일 수 있는 능력은 동일하다. 그러나 육신이 사랑의 에너지를 받아 순환시킬 수 있는 능력이 체력이므로 체력이 영혼의 활동 능력이다. 사람마다 체력이 다르므로 자기의 체력이 허용하는 범위 내에서 사랑의 에너지를 받는다.

노인이 되어 체력이 떨어져 있어도 마음만 천성의 마음으로 바꾸면 경락이 열리고 영혼은 활동할 수 있다. 영혼은 나이를 먹거나 능력이 떨어지지 않는다. 나이와 상관없이 천성의 마음인 하늘마음이 되면 영혼이 활동한다. 영혼이 활동하면 경락이 열리며 사랑의 에너지를 받는다. 젊어서부터 몸이 약한 사람이라 하더라도 나이 들면서 노익장老益壯을 누리는 사람도 많다. 기 순환이 이루어지므로 생체전기가 생산되어 생명력과 면역력이 되살아나 체력을 키울 수 있다면 이팔청춘이 될 수도 있다.

영계의 영원한 삶에 비하면 지상의 삶은 길다 해도 순간에 지나지 않는다. 영혼은 나이를 먹지 않고 능력도 떨어지지 않아 인간이 창조주의 뜻에 일치하는 일을 한다면 언제나 활동해 경락을 열어준다. 인성의 나가 체념하고 포기하므로 소멸의 길을 간다. 정신을 차려 천성의 마음으로 되돌아오기만 하면 사랑의 에너지를 받을 수 있다. 경락을 닫는 것은 인성의 마음인 욕심으로 바로 나 자신이다. 나 자신이 집착하고 포기함으로써 영혼을 활동하지 못하게 한다. 내가 도전하면 영혼은 포기하지 않는다. 개과천선改過遷善이 가능한 것이다.

인간의 영혼은 존재 이유가 없어지면 하시라도 육신을 떠난다. 인성의 삶에 빠져 헤어날 가능성이 없으면 영혼은 육신을 떠난다. 인성의 선천기가 잔존된 상태에서 영혼이 육신을 떠나면 잔존된 선천기가 소진될 때까지 생존이 가능하다. 선천기가 소진되면 수명을 다한다.

영혼이 육신을 떠나면 체력을 스스로 생산하지 못하므로 본능적으로 생체전기를 아끼는 삶을 산다. 힘든 일뿐 아니라 생각조차도 하지 못하고 생명을 유지하는 삶을 산다. 양심과 이성이 작동되지 못해 해야 할 일과 하지 말아야 할 일을 구분하지 못한다. 때로는 사람도 알아보지 못하고 남의 도움을 받아 생명을 유지한다. 영혼이 활동하지 않는 삶은 동물만도 못한 삶이며 인간다운 삶이 아니다.

인성과 천성의 삶

인간은 인성의 마음일 때 인성의 삶을 살고, 천성의 마음일 때 천성의 삶을 산다. 인간은 인성의 마음이 작동되면 천성의 마음이 작동되지 못하고, 천성의 마음이 작동되면 인성의 마음이 작동되지 않는다. 천성의 마음인 양심이 발동하면 욕심이 발동하지 못하고 욕심이 발동하면 양심이 발동하지 못한다. 뇌가 의식 활동을 하면 영혼이 활동하지 못하고 영혼이 활동하면 뇌가 의식 활동을 하지 못하기 때문이다.

태어난 아기는 순진하고 천진무구하므로 천성의 마음으로 살아간다. 순진하고 천진무구한 천성의 마음이 오래 지속될수록 사랑의 에너지를 많이 받는다. 성장은 성인이 되기 전에만 이루어지는 것이 아니다. 생존한다는 의미는 생성과 소멸을 지속한다는 의미이다. 태어나서 죽을 때까지 생성과 소멸이 지속되는 것이다. 생성이 소멸보다 많이 이루어지면 성장이며 적게 이루어지면 위축과 소멸로 이어지는 것이다. 사랑의 에너지를 받으면 생성으로 이어지고 받지 못하면 소멸로 이어지는 것이다. 태어나서 삶과 죽음을 되풀이하는 것이 인생인 것이다.

세살버릇 여든까지 간다고 한다. 태어나 세상 물정을 알아가며 경험과 지식이 늘어나면서 욕심도 늘어나며 인성의 삶을 산다. 아기는 사랑의 에너지를 받아야 성장하고 자란다. 성격이 형성되는 중요한 시기인 세 살까지는 사랑의 에너지를 충분히 받을 수 있도록 엄마가 사랑으로 키워야 한다. 너무 일찍 어린이 집에 보내는 것도 좋은 것이 아니다. 아기는 엄마와 떨어지면 공포감으로 경락이 닫힌다. 경락이 닫히면 사랑의 에너지를 받지 못하므로 인성의 마음이 작동되며 커진다. 사랑의 에너지를 받지 못하면 활성산소의 생성으로 질병으로 이어지고 성장도 제대로 이루어지지 못한다. 무엇보다 뇌세포가 죽는 것이 문제이다. 뇌세포는 재생하지 못하므로 죽으면 해당 세포가 작동하는 기능이 영구히 상실되기 때문이다. 세살버릇이 여든까지 가는 이유이다. 어린이는 순진함이 오래 지속될수록 천성의 마음을 유지하기에 유리하다. 천성의 마음이 유지되어야 사랑의 에너지를 받기 쉬운 것이다.

인간은 천성의 마음이 작동될 때 사랑의 에너지를 받는다. 천성의 마음으로 영혼이 활동해야 양심과 이성이 작동되어 창조주의 뜻에 일치하는 일을 한다. 인간의 이성이 가장 발달하는 나이가 여자는 7세, 남자는 8세라 한다. 통계상으로는 여자가 오래 살지만 육체적 정신적 성장과 발육 또한 여자가 더 빠르다. 삶의 주기도 여자는 7세 남자는 8세라 한다. 삶의 주기가 제2기로 들면 여자는 14세 남자는 16세가 되어 사춘기가 되고 2세를 생산할 수 있다.

만 16세를 이팔청춘이라 하는데 사랑의 에너지를 받을 수 있는 능력의 증가 속도가 가장 큰 나이이기 때문이다. 그 나이에 도달하기까지는 부모가 자식의 사랑하는 마음이 자라고 성숙하도록 최선을 다하여 지도해 주어야 한다는 의미이다. 무엇보다 천성의 마음을 오래 유지하고 자라게 하는 것이 중요하다. 천진난만하고 순진한 마음이 오래도록 유지될수록 천성의 마음인 양심과 이성이 크게 자란다. 16세 이후에는 경락이 닫히는 삶을 살기 쉬워 양심과 이성이 자라기 쉽지 않다.

양심과 이성이 자라지 못하면 일찍부터 약아져 약삭빠르게 살아간다. 인성의 마음이 더욱 자라고 천성의 마음이 자라지 못한다. 인성의 마음이 자라면 욕심이 자라며 자기의 이익을 수단 방법을 가리지 않고 챙기게 되어 정직함이 늘지 않고 남을 속이고 거짓말을 하게 된다. 양심이 자라지 못하고 이성을 잃고 살아가는 것이다. 인간은 처음으로 죄를 지으면 양심의 가책도 받고 죄의식도 느끼게 되지만 습관이 되면 느끼지 못한다. 바늘도둑이 소도둑 되는 것이다. 사회가 부패하는 이유이다.

순진한 어린이는 조금만 잘못한 것이라 생각해도 얼굴이 빨개진다. 심경락이 닫혀 상기되는 현상이다. 습관이 되면 나이 들어갈수록 표정에 나타나지 않아 포커페이스로 바뀐다. 하지만 경락이 닫혀 뇌세포는 죽고 있는 것이다. 솔직하고 순진한 사람은 어른이 되어도 양심의 가책을 받으면 얼굴 표정에 나타난다.

인성의 삶은 뇌가 의식 활동을 하여 자기의 이익 위주로 즐거움과 욕심을 만족시키는 본능적인 삶이다. 욕심을 만족시키는 삶은 사랑과는 멀어지고 선하고 바르게 사는 삶이 아니다. 순진하지 못하고 약아빠진 삶이다. 경험과 지식을 늘리며 자기가 습득한 경험과 지식에 의존해 판단하는 삶을 사는 것이다. 인간이 얻는 경험과 지식은 최소한 1/7(14.3%)은 허위이므로 경험과 지식에 의존한 삶은 순수하지 못하므로 인성의 삶으로 경락이 닫히는 삶이다. 자기의 고집대로 옹고집으로 살아가는 것이다. 상식으로 생각하고 판단하며 사는 삶이 인성의 삶이다. 인성의 삶은 영혼이 활동하지 못해 체력을 소모하는 삶이며 수명의 단축으로 이어진다. 나이들수록 체력을 늘리기 어려운 이유이다.

인성의 삶은 사랑의 에너지를 받지 못하여 체력을 소모하는 삶이므로 본능적으로 생체전기를 아끼는 삶을 살게 된다. 체력을 최소로 소모하고 자기에게 이익이 되는 일만 골라 하며 약게 요령을 피우며 살아간다. 이기적이며 이타적인 일은 하지 못한다. 사랑의 에너지를 받지 못해 사랑을 베풀거나 실천하지 못한다. 자기희생이 되는 일은 하지 못한다. 약삭빠르게 살아가며 이익을 추구하고 이기적이며 본능적으로 살아가는 삶이다.

사랑의 에너지를 받지 못하므로 근심과 걱정이 끊임이 없고 자주 경락이 닫히므로 체력이 떨어지고 수명이 단축되는 삶이다. 힘든 일을 하면 피로감이 쉽게 온다. 성공하는 일이 없어 파란만장한 삶을 산다. 즐거움은 얻을 수 있어도 기쁨과 행복은 누리지 못한다. 삶의 목표에서 멀어지기 때문이다. 영혼이 영생을 얻지 못하고 소멸되는 삶이다.

천성의 삶은 천성의 마음으로 영혼이 활동하는 삶이다. 창조주의 뜻에 일치하는 선하고 바른 일을 하는 삶이다. 영혼의 존재 이유를 만족시키고 삶의 목표를 달성하는 삶이다. 하늘마음으로 양심대로 사는 삶이다. 사랑과 진·선·미를 추구하는 삶이다. 슈퍼에고로 초자아이며 이타적인 삶이다. 사랑을 배우거나 배운 사랑을 실천하는 일을 하는 삶이다. 사랑의 에너지를 받아 자기희생이 가능한 일을 할 수 있다. 사랑의 실천 실적을 올려 사랑의 에너지를 되돌려 받아 보람을 느끼며 건강과 젊음을 유지하며 기쁨과 행복, 번영과 성공을 누리는 삶이다. 영혼이 자라고 성숙하며 양기의 순도가 높아져 영생을 얻는 삶이다.

천성의 삶을 살면 영혼이 활동하므로 사랑의 에너지를 받아 생체전기가 스스로 생산된다. 생명체를 구성하는 세포 하나하나는 생체전기를 이용할 수 있어 생명력과 면역력을 얻고 활기차게 활동한다. 생체전기가 스스로 공급되므로 수명이 단축되지 않는다. 누구나 부러워하고 성공적인 삶을 열정적으로 지치지 않고 살아간다.

영혼이 활동해 사랑의 에너지를 마음대로 운영하면 창조주의 모습이 되어 선하고 바른 삶을 살게 된다. 사랑의 에너지를 마음대로 받아들여 왕성한 체력을 유지하므로 의욕적으로 힘든 일도 잘 할 수 있다. 창조주의 뜻에 일치하는 일을 하며 지치지 않는 삶을 살아간다. 사랑의 에너지를 받아 인성의 마음이 닦여 천성의 마음이 되므로 창조주가 바라는 모습대로 살아간다.

사랑의 에너지를 받을수록 체력이 증가하므로 자신감도 생기고 정신력도 증가해 가능하지 않던 일도 가능하게 바꾸는 능력이 생긴다. 뇌와 심장과 근육의 기능이 좋아지므로 매사에 의욕적이며 지혜와 창의력이 생기며 생각이나 깨달음도 깊어진다. 사랑을 나누고 베푸는 삶을 살아가므로 영생을 얻는 삶이다. 삶의 목적을 달성할 수 있어 건강과 젊음, 기쁨과 행복, 번영과 성공을 누린다.

건강과 젊음, 기쁨과 행복, 번영과 성공, 영생은 모두 사랑의 피드백이다. 기쁨과 행복을 누리는 자만이 천국으로 간다. 다른 사람에게 행복을 제공한 만큼 인과응보로 행복을 누리고 삶의 실적이 된다. 모두 사랑의 에너지를 통해야 얻어진다. 창조주는 사랑의 에너지를 통하여 우주 만물의 생성과 소멸을 주관하기 때문이다.

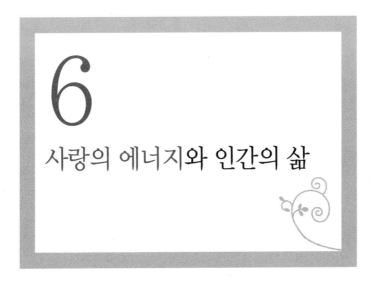

6

사랑의 에너지와 인간의 삶

몸과 정신은 마음이 하라는 대로 한다

인간은 몸과 마음과 정신으로 이루어진다. 몸과 정신은 마음이 하라는 대로 한다. 몸과 정신은 마음의 노예이다. 마음이 명령하면 죽는다는 것을 알면서 독약도 먹는다. 마음이 허락하지 않으면 손가락 하나 움직이지 못한다. 정신은 기이므로 기도 마음이 하라는 대로 한다. 마음이 몸을 나가면 정신과 기도 따라 나가 정신 나간 사람이 된다. 마음이 되돌아와야 정신도 되돌아와 뇌의 의식 활동이 제대로 이루어진다. 뇌의 의식 활동이 사랑의 에너지의 힘으로 이루어지므로 기가 마음을 따라 몸을 나가면 뇌에는 사랑의 에너지가 공급되지 못하여 의식 활동을 제대로 하지 못한다. 자주 정신이 나가면 사랑의 에너지 공급 부족으로 뇌세포가 죽으며 멍청해지며 정신병자가 되는 것이다.

인간의 마음은 순간에 우주의 끝에서 다른 끝으로 갈 수 있어 시공을 초월한다. 사랑의 에너지는 정신이며 마음을 따라가므로 기도 시공을 초월한다. 정신과 마음이 가는 속도는 빛보다도 월등히 빠르다. 사랑의 에너지는 시공을 초월하므로 순간 이동이 가능하다. 창조주가 사랑의 에너지를 통하여 우주 만물의 생성과 소멸을 주관할 수 있는 이유이다.

빛은 장애물을 뚫지 못한다. 사랑의 에너지는 레이저 광선처럼 모든 장애물을 통과한다. 화석 연료는 찌꺼기를 남긴다. 사랑의 에너지는 찌꺼기를 남기지 않는다. 사랑의 에너지는 단순한 에너지가 아니라 창조주의 마음이 포함된 에너지이다.

사랑의 말 한마디가 죽을 사람을 살리기도 하고 천 냥 빚을 갚기도 한다. 사랑의 에너지로 치유되지 않는 질환은 없고 해결되지 않는 일도 없다. 사랑의 에너지를 받아야 건강과 젊음, 기쁨과 행복을 누린다. 우주 만물은 사랑의 에너지로 이루어지며 사랑의 에너지로 가동되고 사랑의 에너지를 통하여 성장하고 소통할 수 있다. 사랑의 에너지는 창조주 자신이기 때문이다. 사랑의 에너지를 받으면 생성과 번성으로 이어지고 받지 못하면 위축과 소멸로 이어진다.

인간의 정신과 마음은 인간의 몸 어느 부위에도 머물 수 있다. 세포 하나하나뿐 아니라 머리카락, 작은 각질 조각에도 머물 수 있다. 그러나 몸을 아무리 뒤져도 정신과 마음은 찾지 못한다. 창조주도 우주 어디를 찾아도 찾지 못한다. 우주 전체가 창조주의 몸이기 때문이다.

창조주의 몸에는 창조주의 마음과 정신이 들어 있다. 인간의 몸 세포 하나하나에도 들어 있다. 인간은 영혼을 소유하므로 창조주의 분신이다. 영혼의 마음이 천성의 마음이며 하늘마음이다. 우리의 마음속에 창조주가 들어 있다고 말하는 이유이다. 인간의 마음과 정신도 우주 어디에도 갈 수 있다. 모두 창조주와 한 몸이기 때문이다. 창조주가 사랑의 에너지를 운행하는 원리인 사랑의 법칙이나 자연법칙이나 인과법칙은 인간에게도 적용된다.

인간의 삶은 사랑의 에너지로 유지된다

사랑의 에너지인 기가 움직이는 현상이 기운이다. 위에서 아

118

래로 움직이는 기운이 양기이며 아래에서 위로 움직이는 기운이 음기이다. 양기는 태양, 음기는 땅으로부터 온다. 인간이 살아가려면 사랑의 에너지를 지속적으로 받아야 한다. 사랑의 에너지는 숨과 연계하여 들어오므로 순간이라도 숨을 멈추면 사랑의 에너지 공급이 중단되므로 세포가 죽는다. 사랑의 에너지인 음기와 양기는 받는 시기와 장소에 따라 강도가 다르게 공급된다. 지구가 우주와 함께 태양계를 돌며 운행됨에 따라 우리가 사는 지점에 공급되는 사랑의 에너지 양상이 달라지므로 인간도 이에 순응하며 살아가야 한다.

양기는 태양으로부터 오고 음기는 땅으로부터 온다. 해가 뜨기 시작하면 양기가 강해지며 정오가 되면 극에 이르고 음기로 바뀌며 해가 지면 음기가 강해지며 자정에 극에 이르고 양기로 바뀌며 순환이 이루어진다. 음기와 양기는 별개로 존재하지 못한다. 사랑의 에너지는 창조주의 몸을 이루는 궁극적 단위이며 창조주의 마음이 포함된 에너지이다. 物의 존재 유지는 음양이 바뀌는 전기 현상이며 생물의 존재 유지는 음기와 양기가 바뀌는 생체전기 현상이다. 따라서 모든 생명체는 우주의 기순환과 일치를 이루며 살아가야 하므로 하늘의 뜻에 역행하지 않는다.

우리 몸에서도 사랑의 에너지인 음기와 양기가 순환해야 생체전기가 되어 체력이 된다. 기운이 없으면 움직이지도 못하고 먹지도 못하고 죽는다. 몸에서 일어나는 생명 현상도 사랑의 에너지의 힘으로 이루어진다. 사랑의 에너지를 받으면 생성되며 받지 못하면 소멸된다. 사랑의 에너지를 받아 순환시켜야 생체전기가 되어 체력이 된다. 체력은 사랑의 에너지를 순환시킬 수 있는 능력이다.

사랑의 에너지는 숨과 연계하여 피부의 기공氣孔과 경혈經穴로부터 우리 몸으로 들어온다. 사랑의 에너지가 드나드는 숨을 단전호흡이라 한다. 단전호흡으로 사랑의 에너지를 받아들여 순환시키면 생체전기가 되어 체력이 된다. 단전호흡을 하는 시각에 따라 음기와 양기가 들어오는 양상이 달라진다. 양기는 정오에 극대화되어 들어올 수 있고 음기는 자정에 극대화되어 들어올 수 있다. 단전호흡의 효과는 자정에 가장 크게 나타나 자정을 활자시라 한다. 육신은 음기이므로 자정에 성장이 극대화될 수 있기 때문이다. 음기는 날숨인 호식 주기에 상단전으로 들어와 양기로 바뀌어 하단전으로 내려가고, 양기는 들숨인 흡식 주기에 하단전으로 들어와 음기로 바뀌어 상단전으로 올라가며 순환이 이루어진다. 음기와 양기는 상단전과 하단전을 한 바퀴 돌면 생체전기가 되어 체력이 된다. 뇌와 심장과 근육도 생체전기로 작동된다.

심장이 혈액을 순환시키듯이 단전은 사랑의 에너지를 순환시킨다. 단전은 몸을 움직이지 않을 때는 폐호흡의 주기와 일치하게, 몸을 움직일 때는 심장의 박동 주기와 일치하게 사랑의 에너지를 순환시킨다. 생체전기를 생산하는 발전기는 몸을 움직이지 않은 때는 호흡의 주기와 일치하여 돌아가고 몸을 움직일 때는 심장의 박동주기와 일치하여 돌아간다는 의미이다. 우리 몸이 존재를 유지하려면 사랑의 에너지의 순환이 호흡 주기와 일치하든가 심장의 박동 주기와 일치해야 한다.

호흡이 이루어진다고 사랑의 에너지가 들어와 순환되어 생체전기를 자동으로 생산하는 것이 아니라는 데 문제가 있다. 헬스클럽에 가서 체력 단련을 한다고 체력이 생성되는 것이 아닌 것이다. 산보를 하고 등산을 한다고 체력이 생성되는 것이 아니다. 마음이 명령을 내려 마음이 하라는 대로 하는 운동은 체력을 소모할 뿐 생성되지 않는다. 뇌가 의식 활동을 하면 경락이 닫히기 때문이다. 영혼이 활동해 경락이 열려야 단전호흡도 이루어지고 사랑의 에너지가 들어온다. 영혼은 인성의 마음일 때는 활동하지 않고 천성의 마음일 때만 활동한다.

인성의 마음이 작동되거나 뇌가 의식 활동을 하면 영혼이 활동하지 못해 경락이 닫힌다. 경락이 닫히면 사랑의 에너지를 받아들이지 못해 저장된 선천기를 소모하게 되어 수명의 단축으로 이어진다. 체력이 소모된다는 의미이다.

심장은 자체의 박동 능력으로 혈액을 순환시키지 못한다. 반드시 근육운동과 호흡운동의 도움을 받아야 한다. 근육운동이 혈액순환을 도울 때 근육펌프라 하고 호흡운동이 도울 때 호흡펌프라 한다. 보통 속도로 걷는다 해도 근육펌프의 도움을 받기 위하여 걸음걸이와 심장의 박동주기가 일치해야 한다. 근육이 수축하면 혈액은 심장 쪽으로 흐르고 이완하면 심장과 멀어지기 때문이다. 근육펌프의 도움을 받지 못하는 정적인 상태에서는 호흡펌프의 도움을 받아야 한다.

호흡펌프 역할은 호식 주기에 횡격막이 수축함으로써 복강에 음압이 생성되며 이루어진다. 호식이 생체전기를 발전하는 발전기의 피스톤 역할을 하는 것이다. 정적인 상태에서는 흡식과 호식을 번갈아 하므로 호흡의 주기와 일치하게 생체전기를 생산하는 발전기가 돌아간다. 운동을 할 때는 흡식을 하지 않고 호식만 하며 걸음걸이와 호식의 주기를 일치시켜 생체전기를 생산한다.

영혼이 활동해 경락이 열리면 생체전기는 스스로 생성되고, 뇌가 의식 활동을 하면 영혼이 활동하지 못해 생체전기가 스스로 생성되지 못하고 저장된 체력을 생체전기로 바꾸어 써야 하므로 체력이 소모되고 수명의 단축으로 이어진다. 천성의 마음 상태라면 영혼이 활동해 체력이 스스로 생성되고 인성의 마음 상태라면 영혼이 활동하지 못해 체력이 소모된다. 정작 본인은 체력이 생성되는지 소모되는지 알기 어렵다. 기분이 좋다면 체력이 생성된 것이며 피로하다면 소모된 것이라 생각하면 된다.

몸을 구성하는 세포 하나하나도 사랑의 에너지를 받아야 생명 활동을 한다. 사랑의 에너지를 공급 받지 못하면 활성산소가 생성되어 죽는다. 사랑의 에너지는 창조주 자신이므로 생명 현상은 창조주가 주관하고 관장한다. 인간의 삶도 사랑의 에너지가 지속적으로 공급되어야 유지된다. 몸을 움직이지 않아도 혈액순환이 이루어져야 하고 세포 하나하나도 생명 활동을 해야 하므로 사랑의 에너지는 언제나 필요한 것이다. 순간이라도 공급되지 못하면 세포가 죽는다. 사랑의 에너지는 숨과 연계하여 들어오므로 숨을 멈추면 사랑의 에너지의 공급도 중단되고 순환도 멈춘다. 조직에 사랑의 에너지 공급이 중단된다는 의미이다. 코를 고는 순간 무호흡증이 심혈관 질환을 악화시키는 이유이다. 사랑의 에너지를 받는 양상에 따라 희로애락과 생로병사의 현상으로 나타난다.

세포 하나하나는 사랑의 에너지로 작동되는 생체시계를 갖는다. 사랑의 에너지가 공급되지 못하면 생체시계는 작동되지 못한다. 정해진 시간 동안 사랑의 에너지를 받아 생명 활동을 함으로써 생명력과 면역력을 생산한다. 사랑의 에너지를 받지 못하면 위축되고 소멸로 이어진다. 실제로 사랑의 에너지를 순간이라도 공급받지 못하면 활성산소가 생성되어 뇌세포와 혈관을 이루는 내피세포가 죽는다.

현대의학은 질병의 원인 중 90% 이상이 활성산소라 생각한다. 요즈음에는 식물에서도 활성산소가 생성됨이 알려지고 있다. 식물도 생명체이므로 생명 활동이 이루어지려면 사랑의 에너지가 공급되어야 한다. 식물에서도 사랑의 에너지의 순환은 음기는 위로 올라가고 양기는 아래로 내려가며 음승양강陰昇陽降으로 이루어진다.

사랑이라는 감정은 인간이 전송할 수 있는 가장 긴 주파수의 파장이다. 평상시의 뇌파는 베타파로 14~30Hz이나 30Hz 이상은 감마파로 불안이나 흥분상태이다. 8~9Hz 슬로알파파인 내적의식 상태라야 사랑의 에너지를 받는다. 더 큰 사랑을 느끼고 내 뿜을수록 더 큰 힘을 이용할 수 있게 된다. 생각과 사랑이 더해지면 끌어당김의 법칙에 저항할 수 없는 힘이 생긴다. 긍정적인 진동을 발산하면 자신의 삶에 긍정적인 것들이 이끌려온다. 긍정적인 생각을 하면 경락이 쉽게 열리고 부정적인 생각을 하면 경락이 닫힌다.

인간은 매사에 긍정적인 생각으로 살아가야 한다. 긍정적으로 질문을 하면 긍정적인 답이 나오기 쉽고 부정적으로 질문을 하면 부정적인 답이 나오기 쉽다. 좋은 생각을 하면 기분까지 좋아진다. 사랑이나 진·선·미를 느끼면 경락이 열려 사랑의 에너지를 받아들여 기분이 좋아진다. 기분氣分이란 기의 배분을 의미하며 육장육부에 고르게 기의 공급이 이루어질 때 기분이 좋아진다. 생각은 주파수를 결정하고 감정은 어떤 주파수에 있는지를 알게 해준다.

창조주는 사랑 자체이므로 우주에 사랑보다 강한 힘은 없다. 사랑은 진동적인 요소를 갖고 있어 분자를 움직이게 한다. 사랑의 진동은 경락을 따라 사랑의 에너지로 전달되어 화학적인 인자들이 조절되기 시작하여 호르몬까지 조절되며 적정한 수준에 도달하게 된다. 사랑의 에너지는 유전자까지 변화시킬 수 있다. 살아가면서 환경에 적응하다 보면 유전자의 변이도 나타난다. 최근 한 연구에 의하면 한 사람이 살아가면서 40~50개의 유전자가 변이를 일으킨다고 한다. 유전자의 변이로 기형도 생기며 암도 발생된다. 박테리아나 바이러스도 환경에 적응하면서 유전자 변이를 일으킨다.

극진한 대접을 받거나 보살핌을 받으면 마음이 열리며 가슴이 따뜻해지고 감사함을 느낀다. 따뜻한 말 한 마디는 죽을 사람도 살리며 천 냥 빛을 갚기도 한다. 원수를 친구로 만들 수도 있다. 진정으로 감사한 마음을 가지면 젊음을 유지하고 몸을 건강하게 만드는 물질이 몸속에서 만들어진다. 엔도르핀이나 세라토닌 멜라토닌도 생성된다. 감정의 변화나 행복이나 불행을 겪어도 몸속에서는 사랑의 에너지가 공급되는 양상에 따라 생리적·화학적 변화가 다르게 이루어지는 것이다.

몸을 움직임은 움직임과 함께 사랑의 에너지가 따라가는 현상이다. 사랑의 에너지는 마음으로 보낼 수 있으며 순간 이동이 가능하다. 사랑의 에너지는 마음이 하라는 대로 하므로 마음대로 몸을 움직일 수 있다. 손끝에서 바로 발끝으로도 보낼 수 있다. 몸 밖으로도 나가 순간에 우주 끝에서 다른 끝으로도 갈 수도 있다. 마음먹기에 따라 몸뿐 아니라 인간의 삶까지도 달라지므로 일체유심조一切唯心造이다.

마음이 몸을 나가면 사랑의 에너지도 따라 나가 뇌에 공급되지 못해 이루어지던 뇌의 의식 활동이 제대로 이루어지지 못한다. 우리는 '한눈 판다'고 말하며 '정신 차려라'고 말한다. 정신을 차려 마음과 정신이 되돌아와야 사랑의 에너지도 공급되어 정상적인 뇌의 의식 활동이 이루어진다. 사람은 언제나 정신을 차리면서 살아가야 한다. 정신을 차리지 못하면 뇌가 정상적으로 의식 활동을 하지 못하므로 적응력이 떨어져 걸려 넘어지기 쉽기 때문이다. 자주 정신이 나가면 사랑의 에너지 공급 부족으로 뇌세포가 죽어 멍청해지며 정신병자가 된다. 상상을 하며 이 생각 저 생각을 해도 마음을 따라 정신과 기가 따라다녀 사랑의 에너지를 소모하므로 피로해진다. 산보를 한다든가 등산을 해도 이 생각 저 생각을 하면 체력이 소모된다. 운동을 한다고 체력이 늘지 않는 이유이다. 마음으로 명령을 내려 마음이 하라는 대로 하는 운동을 하면 체력은 생성되지 못하고 소모되기만 한다. 뇌가 의식 활동을 하지 않고 단전호흡이 이루어져야 체력이 스스로 생성될 수 있기 때문이다.

뇌라는 슈퍼컴퓨터도 생체전기로 작동된다. 천성의 마음으로 순수한 마음이면 영혼이 활동해 사랑의 에너지를 받아 생체전기가 스스로 생산된다. 긍정적인 마음으로 몸과 마음과 정신을 집중하여 몰두하면 경락이 열려 사랑의 에너지를 받는다. 마음을 따라 나돌아 다니기를 좋아하는 사람은 정신을 잘 챙겨야 사랑의 에너지를 받는다.

몸과 마음과 정신이 하나가 될 수 있으면 사랑의 에너지를 받는다. 문제는 몸과 마음과 정신은 하단전에서만 하나가 될 수 있다는 것이다. 몸과 마음과 정신을 하단전에 집중하고 호흡을 하면 단전호흡이 되어 사랑의 에너지를 받는다. 명상이나 참선, 단전호흡의 수련 원리이다.

인성의 마음으로 뇌가 의식 활동을 하여 뇌식腦識이 이루어지면 경락이 닫혀 사랑의 에너지를 받지 못하므로 생체전기의 생산이 중단된다. 감각기관으로 뇌가 의식 활동을 할 때 자기의 경험과 지식을 기준으로 평가하므로 순수하지 못하고 거짓이 포함된 마음 상태가 되므로 경락이 닫힌다. 체력이 생산되지 못하므로 선천기를 소모해 발전기를 돌려 생체전기를 생산해야 하므로 수명의 단축으로 이어진다. 체력이 소모된다는 의미이다.

몸을 움직이는 것 못지않게 뇌를 사용하면 체력의 소모가 커진다. 근심 걱정을 한다든가 화를 내면 체력 소모는 더 커진다. 하루에 화를 크게 다섯 번 이상 내면 뇌졸중으로 이어질 정도가 된다. 정신노동이 육체노동보다 체력의 소모가 더 많다. 뇌가 의식 활동을 하는 뇌식이 이루어지면 경락이 닫히므로 체력이 소모되지만 몰두하고 집중하여 육체노동을 하면 경락이 열려 사랑의 에너지를 받아 체력이 스스로 생성되는 기회가 많아지기 때문이다.

나이 들어가며 복식호흡이 흉식호흡으로 바뀌어 평상시에는 사랑의 에너지가 하단전으로 내려가지 못해 체력이 소모되기만 한다. 흉식호흡이 습관화된 사람은 호식 위주의 호흡을 하면 평상시에도 효과적으로 단전호흡이 이루어진다. '호호 기 순환 운동법'을 이용하면 생체전기의 생성이 4~5배로 이루어진다.

동물動物은 움직이는 생명체이며 움직이지 못하면 죽은 목숨이다. 움직이고 쓴다는 의미는 사랑의 에너지가 함께 한다는 의미이다. 몸이나 뇌세포도 사용하지 않으면 위축되고 소멸된다. 몸을 움직이지 않으면 사랑의 에너지를 받지 못해 위축되고 소멸된다. 몸을 구성하는 세포 하나하나도 움직여야 사랑의 에너지를 받는다. 운동 부족이 질병으로 이어지는 이유이다.

우리는 혈액순환만 잘 되면 건강할 것이라 생각하지만 사랑의 에너지의 공급이 우선이다. 기운이 없으면 혈액순환도 되지 못해 근육이 뭉친다.

심장을 나온 혈액은 동맥을 구성하는 근육이 자율신경의 명령을 따라 연속적으로 수축함으로써 동맥을 따라 흐른다. 생체전기의 공급이 중단되면 동맥을 이루는 근육도 위축되어 혈관이 가늘어지기도 하고 막히기도 하고 때로는 부풀어 올라 동맥류나 정맥류를 만들기도 한다. 몸의 움직임이 좌우가 다르므로 대부분 사람들이 나이 들어가며 좌우측 혈관의 굵기가 달라지며 가늘어지기도 하고 막히기도 한다. 굵기가 큰 경동맥이나 다리로 가는 동맥도 예외가 아니다. 좌우 팔에서 측정하는 혈압의 수치도 다르게 나오는 이유이다. 차이가 많을수록 좌우 혈관의 상태도 다르다는 의미이다.

모세혈관에는 근육이 없으므로 생체전기의 공급이 중단되면 혈액순환이 중단되어 모세혈관 자체가 손상을 받는다. 병상에 오래 누워 있는 환자의 근육은 뭉글뭉글하며 만지면 아파한다. 소위, 근육이 뭉친 것이다. 근육이 뭉친다는 의미는 활성산소의 생성으로 모세혈관이 손상을 받아 조직에 염증이 생기고 붓는 현상이다. 운동을 심하게 해도 근육이 뭉친다. 멍이 든다는 의미는 모세혈관이 손상을 받아 파괴되어 혈액이 조직으로 흘러 나와 체류하는 현상이다. 사랑의 에너지가 공급되지 못하면 활성산소가 생성되어 뇌세포나 혈관을 이루는 내피세포가 죽기 때문이다. 사랑의 에너지 공급 부족이 만성화되면 조직이 석회화하기도 하므로 치료가 더욱 어려워진다. 어깨의 인대가 석회화되어 치료가 잘 되지 않는 석회성건염 치료에도 석회화된 조직을 파괴하기 위하여 체외충격파 치료법이 이용된다. 하지만 치료 효과가 쉽게 나타나지 않는다. 사랑의 에너지를 공급해야 치유가 이루어지는 것이기 때문이다. 사랑의 에너지는 손상이 온 부위를 본인 스스로 움직여 주어야 공급이 이루어지는 것이다.

모든 생명체의 생명현상은 생체전기 현상이므로 사랑의 에너지로 이루어진다. 산소와 영양분에 의해서 유지되는 것이 아니다. 영양분에서 얻는 에너지는 생명체의 육신의 유지 관리에 쓰인다. 산소는 모든 물질을 산화시켜 소멸시킨다. 생성으로 작용하지 않는다. 사랑의 에너지를 받아야 생성으로 이어진다. 우리 몸은 흡식 주기에 파괴가 일어나고 호식 주기에 생성이 이루어진다. 흡식은 파괴의 호흡이며 호식은 생성의 호흡이다. 호식 주기에 상단전으로 흡수된 음기는 양기로 바뀌어 하단전으로 내려가면 단번에 생체전기가 된다. 호식 위주의 호흡을 하면 심혈관 질환이 치유되는 이유이다. 호식이 생체전기를 생산하는 발전기의 피스톤 역할을 하여 호식 위주의 호흡을 하면 생체전기의 생성이 극대화되기 때문이다. 특정 부위에 사랑의 에너지를 보내려면 호식과 함께 마음으로 사랑의 에너지를 보내며 움직여 주면 공급이 가능해지는 것이다.

우주 만물은 모두 어두운 곳에서 태어난다. 생명의 탄생은 우선 안정된 조건을 만족해야 성장 발육할 수 있다. 어두운 곳은 밝은 곳보다 에너지가 적어 온도가 낮고 안정적이다. 밝은 곳은 에너지가 많아 온도가 높고 불안정하다. 자연에서 일어나는 모든 운동과 변화는 언제나 에너지가 가장 적게 드는 방향으로 진행하므로 자연법칙이라 한다. 자연법칙은 사랑의 법칙이며 인과법칙이며 우주 만물의 생성과 소멸의 원리가 된다.

음기는 육신을 만들고 양기는 기능을 강화한다. 식물이나 동물의 성장은 밤에 이루어진다. 가장 음한 자정을 전후해 잠을 자야 음기를 효과적으로 공급받을 수 있기 때문이다. 식물은 양기인 햇빛이 가장 강할 때 광합성이 잘 되지만 성장은 밤에 이루어진다. 밤에 등을 켜 밝게 해 놓으면 꽃을 피우지 못하고 결실도 되지 않는다. 인간도 햇빛이 공급되는 낮 시간에 일을 해야 심장의 기능이 유지되기 쉽다.

태양이 공급하는 양기의 강도가 지구상의 위도와 경도, 계절과 시각에 따라 다르게 전달된다. 인간의 몸도 처해 있는 위치에서 지구의 기 순환과 일치를 이루며 생명 활동을 하므로 십이경락의 기 순환도 이와 일치한다. 양기의 공급이 잘 될 때는 음기의 공급이 적어지고 음기의 공급이 잘 될 때는 양기의 공급이 적어진다. 시각에 따라 육장육부의 기능이 다르게 나타나는 이유이다. 지구와 우리 몸의 기 순환이 일치하게 이루어지는 것이다.

우리 몸의 장기 중 심장이 가장 중요한 역할을 하고 가장 먼저 생겨나서 가장 나중에 죽는다. 뇌가 죽어 뇌사한 후에도 마지막까지 심장이 기능을 유지한다. 잔존된 정기를 심장이 마지막까지 소모한다는 의미이다. 심장은 육장육부의 기능을 주도한다. 심장의 기능은 양기가 가장 강한 정오 시각에 가장 좋고 아침 6시경이 가장 나쁘다. 현대의학은 그 이유를 알지 못한다. 노인이나 심장질환 환자는 새벽보다는 햇살이 퍼진 후에

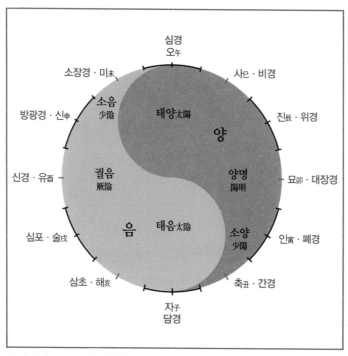

그림 4. 십이경맥의 시간 배속

운동을 하는 것이 좋다. 정오正午는 오전 11시부터 오후 1시 사이인 오시午時의 중간으로 해가 우리의 머리 위에 있는 시각이다. 해가 머리 위에 있을 시각에 양기가 가장 강한 상태로 공급되므로 양기를 효과적으로 받을 수 있어 심장의 기능이 좋은 것이다. 정오 시각에 햇빛을 쏘일 때 비타민 D의 합성 효과가 가장 크게 나타난다. 석양을 쏘이면 생성 효과가 별로 없다. 반대로 해가 지구의 반대편에 있는 시각이 자정子正이며 가장 음한 시각이다. 가장 음한 시각에 음기를 효과적으로 받아들여야 성장이 제대로 이루어진다. 모든 생명체의 성장은 밤에 이루어지고 낮 시간에는 기능이 강화된다.

가장 음한 자정 시각에는 잠을 자야 성장이 이루어진다. 어린이만 그런 것이 아니라 어른도 마찬가지이다. 성장은 일정 기간에만 진행되는 것이 아니며 평생 진행된다. 생존한다는 의미는 생성과 소멸을 지속한다는 의미이다. 생성보다 소멸이 적으면 성장이며, 소멸이 많으면 위축되며 죽음에 이른다. 피로를 느낀다면 체력만 감소한 것이 아니라 몸의 조직세포도 그만큼 기능이 위축되고 손상을 받고 있다는 의미이다. 피로가 심하면 초주검이 되었다고 한다. 의미 있는 표현이다. 어린이의 성장 모습이 개체에 따라 다르고 나이 들어서도 때에 따라 젊어 보이기도 하고 늙어 보이기도 하는 이유이다. 노익장을 누릴 수 있는 이유이기도 하다.

인간은 생체시계를 맞추기 위하여 적도를 기준으로 지구 둘레 4만 km를 24등분하여 1,666km 간격을 두고 표준시를 달리하고 있다. 지구와 우리 몸의 기 순환 주기를 일치시켜 사랑의 에너지를 효과적으로 이용하기 위함인 것이다. 모든 생명체를 구성하는 세포 하나하나도 사랑의 에너지로 작동되는 생체시계를 갖는다. 사랑의 에너지가 공급되지 못하면 생체시계는 작동되지 못하여 생명 활동을 하지 못해 세포가 죽는다.

체력은 단전호흡으로 사랑의 에너지를 받아 순환시켜 생산하는 생체전기이다

사랑의 에너지는 단전호흡으로 들어와 몸을 순환해야 생체전기가 되어 체력이 된다. 단전호흡은 생체전기를 생산하기 위한 호흡이며 현대의학으로 말하면 무산소운동이다. 현대의학은 근육을 만들거나 체력을 늘리려면 무산소운동을 하라 하지만 그 원리는 모른다. 무산소운동은 기운을 쓰는 운동이며 산소를 마시지 않고 하는 운동으로 동적인 단전호흡 운동인 것이다. 단전호흡은 단전丹田으로 사랑의 에너지인 음기와 양기를 흡수하여 생체전기를 생산해 체력을 만드는 과정이다. 그러나 무산소운동의 가장 큰 문제는 숨을 멈추면 사랑의 에너지의 공급과 순환이 멈추고 뇌를 써서 생각을 해가며 운동을 하면 체력은 생성되지 않고 소모되기만 하는 데 있다. 마음으로 명령을 내려 마음이 하라는 대로 하는 운동은 체력을 생성하지 못하고 소모할 뿐이다. 뇌가 의식 활동을 하면 경락이 닫히기 때문이다.

단전호흡은 호흡을 한다고 이루어지지 않는다. 뇌가 의식 활동을 하면 체력은 생성되지 못하고 소모되기만 한다. 뇌가 의식 활동을 하면 영혼이 활동하지 못하고 영혼이 활동하면 뇌가 의식 활동을 하지 못한다. 나이 들어가며 체력을 늘리기 어려운 이유이다. 인성의 마음을 천성의 마음으로 바꾸면 노인이라도 체력을 늘릴 수 있다. 영혼은 나이를 먹지 않으며 노화하지도 않고 능력이 떨어지지도 않는다. 나이 들어갈수록 인성의 마음을 천성의 마음으로 바꾸기가 어려운 것이다. 천성의 마음으로 영혼이 활동해야 경락이 열려 사랑의 에너지인 음기와 양기가 들어온다. 명상이나 참선, 단전호흡 수련이 효과를 보는 이유이다. 나이와는 상관이 없는 것이다.

성인의 호흡이 분당 12~24회 이루어지고 심장 박동은 분당 60~100회 이루어질 때 정상으로 본다. 평균적으로 보면 호흡은 분당 15회, 심장박동은 75회 정도 이루어진다. 우리 몸이 움직이는 속도는 심장의 박동 주기와 일치한다. 운동을 하지 않는 상태에서의 생체전기의 생성은 호흡의 주기와 일치하고, 운동을 할 때는 심장의 박동 주기와 일치해야 운동이 가능하다. 호식과 흡식을 번갈아가며 하는 운동이 유산소운동이며 흡식을 하지 않고 호식만 하며 하는 운동이 무산소운동인 것이다.

근육운동을 지속하면 심장의 박동 수는 증가한다. 근육운동의 속도를 높이면 심장의 박동 속도도 그만큼 증가한다. 운동을 한다면 심장의 박동 주기와 근육운동의 주기가 일치해야 하므로 흡식을 하지 못하고 호식만 하며 운동을 해야 순조롭게 이루어진다. 산소가 부족하지 않아야 한다고 생각해 흡식을 의도적으로 하는 것인데, "호호呼呼" "흡흡吸吸"하며 걷는다면 발걸음과 호흡을 맞출 수는 있어도 자연스러운 호흡은 아닌 것이다. 초고속의 운동을 할 때는 호식도 이루어지지 않고 운동이 지속된다. 단전호흡이 생체전기를 만드는 호흡이므로 호식을 끊어서 하지 않고 연속으로 지속하다 보면 배출되는 공기 없이도 호흡이 가능해진다. 100m를 10초에 뛴다면 심장은 분당 270~300회를 뛰어야 가능해진다. 심장이 그 정도로 박동하는 동안은 실제로 기관지만 열린 상태에서 배출되는 공기가 거의 없는 상태가 되어 무산소운동이 되는 것이다. 실제로 뇌와 심장과 근육은 생체전기로 작동되기 때문이다. 보통 사람도 양 팔꿈치를 몸에 붙이고 박수치듯이 손을 분당 100회 이상 빠른 속도로 움직임을 지속하면 한참 후에는 호식도 하지 않고 하고 있음을 알게 된다. 또한 빠른 속도로 움직이면 흡식이 정상적으로 이루어질 수 없음도 알게 된다. 영양분을 산소로 태워서 얻는 에너지가 아닌 단전호흡으로 생성된 생체전기로 뇌와 심장과 근육이 작동하기 때문이다. 영양분을 태워서 얻는 에너지라면 지속적으로 흡식을 하여 산소를 공급할 수 있어야 하는 것이다.

음기는 호식呼息 주기에 양경락 영역의 피부에 있는 기공氣孔과 경혈經穴로부터 흡수되어 양경락을 통하여 머릿속 상단전으로 들어온다. 양기는 흡식吸息 주기에 음경락 영역의 피부의 기공과 경혈로부터 흡수되어 음경락을 통하여 아랫배 중심 하단전으로 들어온다. 상단전으로 들어온 음기는 양기로 바뀌어 하단전으로 내려가고, 하단전으로 들어온 양기는 음기로 바뀌어 상단전으로 올라가며 순환이 이루어진다. 음기나 양기는 상단전과 하단전을 한 바퀴 돌면 음기는 양기로 되고 양기는 음기로 되어 전기가 생성되는 원리로 생체전기가 되어 체력이 된다.

우리의 몸은 뇌뿐 아니라 심장과 근육이 생체전기로 작동된다. 생체전기의 생성 주기가 운동을 하지 않을 때는 호흡 주기와 일치하고 운동을 할 때는 심장 박동주기와 일치한다. 사랑의 에너지 순환이 몸을 움직이지 않는 상태에서는 호흡 주기와, 운동을 할 때는 심장 박동 주기와 일치해야 한다는 의미이다. 심장이 생체전기로 작동되며 심장 자체의 능력만으로 혈액을 순환시킬 수 없기 때문이다. 심장은 반드시 근육펌프와 호흡펌프의 도움을 받아야 기능이 유지된다.

근육운동이 심장의 혈액순환을 도울 때 근육펌프라 하고 호흡운동이 도울 때 호흡펌프라 한다. 근육이 수축하면 혈액은 심장 쪽으로 흐르고 근육이 이완하면 심장과 멀어지게 흐르므로 운동을 할 때는 근육운동과 심장의 박동주기가 일치해야 심장의 기능이 유지된다. 운동을 하지 않는 정적인 상태에서는 근육펌프의 도움을 받지 못하므로 호흡펌프의 도움을 받아야 한다. 호흡펌프는 횡격막이 피스톤 작용을 통해 생체전기를 생산함으로써 가능해진다. 속도를 내야 하는 운동을 할 때는 언제나 흡식을 하지 못하고 호식만 하며 심장의 박동과 호식의 주기를 일치시켜야 운동이 가능해지는 것이다.

사랑의 에너지는 호흡과 연관해서 들어오므로 호흡에 의한 호흡펌프가 결정적 역할을 한다. 몸을 움직이지 않을 때는 호식과 흡식을 번갈아 하는 호흡을 하고, 운동을 할 때는 흡식을 하지 않고 호식만 해야 가능하다. 호식이 생체전기를 생산하는 발전기의 피스톤 역할을 하여 호식과 생체전기의 생성주기가 일치하기 때문이다. 호식을 함으로써 횡격막을 위로 끌어올려 복강에 음압이 생성되어 호흡펌프 역할을 하며 정맥혈 순환을 주도하는 것이다.

사랑의 에너지가 숨과 함께 하단전으로 내려갈 수 있어야 생체전기가 된다. 복식호흡이 좋은 이유이다. 동물은 복식호흡을 한다. 인간은 태어나서 복식호흡을 하다가 성장하면 흉식호흡으로 바뀌고 죽음에 임박하면 목으로 숨을 쉰다. 목으로 숨을 쉬면 사랑의 에너지가 하단전으로 내려가지 못해 생체전기를 생산하지 못하게 되어 죽는다. 목숨을 생명으로 생각하는 이유이다. 순간이라도 숨이 멈추면 사랑의 에너지 공급이 중단되어 세포의 생명 활동이 중단되므로 세포가 죽는다. 코를 골아 순간 무호흡증이 오더라도 심혈관 질환이 악화되는 이유이다.

평상시에도 근육펌프의 도움을 받기 위하여 걸음과 심장의 박동 주기를 같게 한다. 또한 호흡펌프의 도움을 받기 위하여 심장의 박동과 호식의 주기를 일치시킨다. 그러려면 흡식을 하지 않고 호식만 하며 근육의 수축과 심장의 박동과 횡격막의 수축을 동시에 해야 한다. 횡격막이 수축할 때만 생체전기를 생산하는 발전기의 피스톤이 작동되기 때문이다.

영혼은 경락을 여닫아 인간의 삶을 통제한다

창조주의 뜻에 일치하느냐, 그렇지 않느냐에 따라 영혼은 심경락心經絡과 신경락腎經絡을 여닫는다. 심장을 지배하는 심경락은 양기의 순환을 통제하고, 신장을 지배하는 신경락은 음기의 순환을 통제한다. 양기의 순환은 심장의 기능을 주도하고 음기의 순환은 신장의 기능을 주도한다. 심장의 더운 기운은 아래로 내려와 신장을 데워주어야 하고 신장의 시원한 기운은 뇌로 올라가 뇌를 식혀주어야 하는 것이다. 뇌가 의식 활동을 하면 심경락이 닫히고 영혼이 활동해야 심경락이 열린다. 근심, 걱정, 불안, 초조, 우울, 분노 상태에서 심경락이 닫힌다. 인성의 마음은 경락을 닫고 천성의 마음은 경락을 연다. 베푸는 마음, 선한 마음, 이타적인 마음, 욕심을 버린 마음은 심경락을 열어 가슴이 열린다.

영혼이 활동하지 않아 심경락이 닫히면 기 순환이 중단되어 체력의 생산이 중단된다. 심경락이 닫히면 가슴에 위치하는 **단중혈**膻中穴[7]에서 닫혀 상단전을 나온 양기가 하단전으로 내려가지 못한다. 음경락을 통하여 하단전으로 들어가는 양기도 중단전에서 막힌다. 하단전이 양기를 받지 못하는 것이다. 체력의 생산이 중단되면 선천기를 생체전기로 바꾸어 사용해야 하므로 노화와 수명의 단축으로 이어진다. 상단전을 나온 양기가 하단전으로 내려가지 못하고 차올라 상기上氣되는 현상이 나타나기도 한다. 상기되면 화기가 차올라 얼굴과 머리에서 열이 나고 머리가 아파오고 혈압이 올라가며 화가 난다. 심하면 뚜

---

7 몸의 앞쪽 중앙을 지나는 기경팔맥 중 임맥任脈의 8번째 경혈로 양 젖꼭지를 잇는 선의 중앙에 위치한다.

껑이 열리고 폭발하여 뇌졸중으로 이어진다. 화가 쌓이면 우울증도 오고 울화증도 온다. 뇌세포가 지속적으로 죽고 있음을 의미한다.

감사하는 마음, 가진 것에 만족하는 마음, 자기 것이 커 보이는 마음은 신경락을 연다. 원망하거나 증오하거나 불평불만을 하거나 신세한탄을 하면 신경락이 닫힌다. 매사에 감사하며 살아가야 하는 이유이다.

신경락이 닫히면 등에 위치하는 **대추혈**大椎穴[8]에서 닫혀 하단전을 나온 음기가 상단전으로 올라가지 못한다. 대추혈은 모든 양경과 독맥이 이어지는 경혈이므로 대추혈이 닫히면 양경락으로 흡수된 음기가 상단전으로 올라가지 못한다. 뇌에 시원한 음기가 공급되지 못하므로 뇌세포가 죽으며 우울증으로 이어진다. 하단전을 나온 음기는 순음진기이며 상단전을 지나면 순양진기가 되어 하단전으로 되돌아오면 강화되어 선천기, 즉 정기로 되어 저장되는데 신경락이 닫히면 정기의 생산이 중단되므로 수명의 단축으로 이어진다.

---

8 머리와 몸의 뒤쪽을 지나는 독맥에 소속된 경혈 28개 중 14번째 경혈이다. 대추혈은 경추 7개 중 맨 아래 가장 튀어나온 제7 경추극돌기頸椎棘突起 아래에 위치한다.

나눔 문화가 발달한 나라일수록 잘 살게 된다

사랑의 에너지는 사랑을 따라다닌다. 사랑이 가야 사랑의 에
너지를 받는다. 사랑을 먼저 나누고 베풀어야 사랑으로 되돌아
온다. 친구가 되려면 먼저 베풀어야 한다. 무엇이든 베풀고 나
누어야 한다. 사랑의 에너지는 정·기·신을 이어주는 끈 역할
을 한다. 우주 만물이 정·기·신으로 이루어지므로 사랑의 에
너지로 모두 하나가 될 수 있다. 식물도 동물도 무생물도 모두
가능한 것이다. 사랑으로 모두가 하나가 될 수 있는 것이다. 이
웃도 자연도 다른 생명체도 사랑을 주면 모두 친구가 될 수 있
고 사랑의 에너지를 되돌려 받을 수 있는 것이다. 오지에서 자
연을 벗 삼아 반려동물과 함께하는 삶도 행복을 누릴 수 있는
이유이다. 상대방이 다가오는 것이 아니라 사랑의 마음으로 내
가 다가가야 사랑으로 되돌아온다. 사랑을 줌으로써 되돌려 받
을 수 있기 때문이다.

나눔 문화가 발달한 나라일수록 잘 살게 되며 번영하며 선진
국이다. 사랑의 에너지의 순환이 잘 이루어질수록 생성되고 번
성할 수 있기 때문이다. 사랑의 에너지가 순환되지 못하면 소
멸로 이어진다. 개인에게는 생로병사의 현상으로 나타나고 단
체나 기업, 사회, 국가, 정치, 문화에는 흥망성쇠로 나타난다.

기쁨과 행복은 나눌수록 커지고 괴로움과 슬픔은 나눌수록 작아진다. 국민소득이 낮은 나라의 국민행복지수가 국민소득이 높은 나라보다 더 높게 나타난다. 서로 돕고 나누며 협력해 살아가야 하므로 사랑의 에너지를 더 잘 받을 수 있기 때문이다.

인간이 해야 할 일이 사랑이다. 사랑을 나누고 베푸는 일을 해야 한다. 이웃은 서로 돕고 사랑을 나누고 베풀어야 할 존재이며 경쟁의 대상이 아니다. 이웃이 없으면 사랑의 실적을 얻기 어렵다. 이웃은 서로 사랑해야 하고 서로 돕고 협력하여 상생해야 할 대상이다. 이웃 국가도 마찬가지이다. 이웃은 지구상 사랑의 연수원에 사랑의 교육을 받기 위하여 살아가는 동반자이다. 모두 영생을 함께 누려야 할 이웃이며 선후배 사이이거나 동창생이다. 모두 사랑을 실천하는 일을 해 사랑의 에너지를 되돌려 받아 기쁨과 행복을 누리려는 영혼들이다. 기쁨과 행복을 누리는 사람이 많을수록 그 사회나 단체나 나라는 번성한다. 양심대로 사는 사람이 많을수록 잘 살게 된다.

지구상의 인간이 모두 양심대로 살아간다면 지상은 천국이 된다. 영혼의 존재를 깨닫기만 하면 양심과 이성대로 살아 갈 수 있어 지상낙원은 현실이 될 수 있다. 요즈음 지구촌은 환경오염과 온난화뿐 아니라 사상과 종교, 인종, 정치, 문화, 경제, 사회의 대립이 도를 넘어서 몰락의 위기를 맞고 있다. 우리의 정치와 사회 현실은 더욱 심각한 갈등과 편 가르기에 빠져 헤어나지 못하고 있다.

사랑의 운동을 전개해 영혼의 존재를 알리는 운동을 해야 한다. 영혼이 활동해 사랑의 에너지를 받을 수 있어야 존립이 가능한 것이다. 내가 먼저 사랑의 마음으로 다가가면 모두 하나가 될 수 있다. 사랑의 에너지로 치유되지 않는 질환도 없고 해결될 수 없는 일도 없다.

베풀고 나누는 삶을 살아야 사랑의 에너지를 되돌려 받는다

인간 삶의 목적은 행복을 누리는 것이다. 부귀영화로 행복을 얻는 것이 아니다. 되돌려 받는 사랑의 에너지라야 기쁨과 행복을 누릴 수 있다. 창조주의 뜻에 일치하는 일을 해야 사랑의 에너지를 되돌려 받는다. 베풀고 나누는 삶을 살아야 사랑의 에너지를 되돌려 받는다. 되돌려 받는 사랑의 에너지라야 건강과 젊음, 기쁨과 행복, 번영과 성공으로 이어진다. 모두 사랑의 피드백feed-back이다. 사랑을 실천했을 때 창조주가 인간에게 주는 대가이며 선물이며 은총이다. 되돌려 받는 사랑의 에너지의 양이 많을수록 행복을 누리며 영혼은 양기의 순도가 높아져 영생을 누린다.

사랑의 에너지를 되돌려 받지 못하면 질병으로 이어진다. 사랑의 에너지가 공급되지 못하면 활성산소가 생성되기 때문이다. 부귀영화를 누리면 욕심을 더욱 키우기에 사랑의 실천과는 거리가 멀어지기 쉽다. 오욕五慾과 칠정七情은 경락을 닫는다. 뇌가 의식 활동을 하면 닫힌다. 사랑의 에너지는 창조주의 뜻에 일치하는 일을 해야 우리 몸으로 들어오지 부귀와 영화를 누린다고 들어오지 않는다. 사랑의 마음으로 내가 다가가야 사랑이 이루어진다. 상대방이 다가오기를 기다리면 사랑은 돌아오지 않는다. 사랑은 언제나 먼저 베풀고 나누어야 사랑으로 되돌아온다. 다른 사람에게 행복을 주어야 행복이 커져서 나에게로 되돌아온다. 부귀와 영화를 누림이 삶의 목적이 아니라 일을 해서 사랑의 에너지를 되돌려 받는 것이 목적이다.

사랑의 실천 대가는 기쁨과 행복으로 나타나지만 보수나 돈으로 돌아오기도 한다. 일을 하면 보수를 받는다. 보수를 많이 받으면 기분이 좋아진다. 사랑을 실천할 수 있는 도구를 받기 때문이다. 보수나 돈이나 재물은 또 다른 사랑을 실천할 수 있는 도구이다. 돈은 사랑의 실천 도구로 사용되어야 하며 돌고 돌아야 한다. 돈은 사랑의 실천 도구로 사용되지 않으면 부작용이 따른다. 돈은 쓰라고 버는 것이다. 그러나 목적에 맞게 잘 써야 한다. 반드시 사랑을 실천하는 데 써야 한다. 사랑의 실천 도구로 사용되면 더 커져서 되돌아온다.

돈이 사랑의 실천 도구로써 돌지 않으면 개인뿐 아니라 단체나 나라도 망한다. 돈이 창조주의 뜻에 어긋나게 사용되면 소멸로 이어진다. 사행성 행위나 불로소득의 자금이나 범죄나 사치나 호화로 이용되면 소멸로 이어진다. 특히 도박이나 마약이 가장 큰 피해를 준다. 큰 사랑을 실천하려 할 때는 큰돈을 모아야 한다. 사랑의 실천에 쓰지 않고 쌓아놓을수록 욕심이 늘어나 소멸의 길로 이어진다. 재산을 모으기만 하고 쓰지 못하고 죽는 사람은 가장 불쌍한 사람이다. 사랑의 실천 도구만 모으고 사랑의 실적을 얻지 못하여 영생을 잃기 때문이다.

욕심을 이길 수 있는 인간도 없고 나라도 없다. 욕심은 나만을 만족시키고 다른 사람을 불만스럽게 한다. 불만이 커지면 그 사람이 불행해진다. 그 불행은 더 커져서 나에게로 되돌아온다. 본인은 알 수 없어도 영혼은 이미 대가를 받는다. 개인에게 양심과 이성이 있듯이 단체나 기업, 사회, 국가에도 해야 할 일이 있고 하지 말아야 할 일이 있다. 해야 할 일은 창조주의 뜻에 일치하는 일이며 하지 말아야 할 일은 어긋나는 일이다. 창조주의 뜻에 어긋나는 일을 하면 사랑의 에너지를 받지 못해 위축과 소멸로 이어진다.

사랑을 빙자해 자기의 이익을 챙기려 하면 본인뿐 아니라 전 구성원에게 피해가 간다. 어려서부터 다른 사람에게 피해를 주는 행위를 하지 않도록 습관화해야 한다. 지구상의 모든 인간에게 적용된다. 기업이나 단체나 국가도 피해를 주는 행위는 하지 않아야 한다. 속임수를 쓴다든가 무력으로 해결하려 하면 더욱 악화될 뿐이다. 인간은 마음을 비우며 살아야 한다. 비우고 내려놓을수록 인생의 완성이 이루어진다. 마음은 비우면 비울수록 사랑의 에너지로 채워지고 채우려 하면 할수록 욕심으로 채워진다. 사랑의 에너지는 채울수록 비워지고 욕심은 채울수록 욕심이 자라며 커진다.

남을 위해 기도하고 생활하면 남을 내가 도우니 그 사람이 행복하게 된다. 내가 갖고 있는 지식과 재산과 체력과 능력을 다른 사람과 나누고 베푸는 삶을 살아야 한다. 인과법칙에 의해서 더 커져서 내게로 되돌아온다. 언제나 남을 가르치는 것이 확실한 배움으로 되돌아온다. 봉사를 하고 재물을 기부하면 사랑의 에너지로 되돌려 받아 기분이 좋아지고 기쁨과 행복을 누리게 된다.

사랑을 실천하면 사랑의 에너지를 되돌려 받는다. 사랑을 나누면 사랑으로 되돌아온다. 되돌려 받는 사랑의 에너지라야 영혼이 자라고 성숙하며 양기의 순도를 높여 영생으로 이어진다.

마음의 평화를 얻고 사랑의 에너지가 온 몸에 충만하다. 온 몸에 유익한 호르몬이 분비되어 건강이 좋아진다. 사랑의 에너지를 되돌려 받지 못하면 질병으로 이어진다. 유전자의 변형까지 초래된다. 인간이 사랑을 실천해야 하는 이유이다.

사랑의 실천 실적이 목표에 도달하면 영생으로 이어진다. 사랑하는 사람을 위하여 생명을 버리면 영생으로 되돌아온다. 다른 사람을 행복하게 한 것만큼 보상으로 재물도 받고 나의 삶의 실적이 되며 행복으로 되돌아온다. 자기를 버리고 무한히 베풀고 희생하는 어머니와 같은 사랑이 참사랑이며 건강과 젊음, 기쁨과 행복, 영생으로 되돌아온다.

건강과 젊음, 기쁨과 행복, 번영과 성공, 영생은 모두 되돌려 받는 사랑의 에너지로 얻을 수 있는 사랑의 피드백이다. 사랑의 법칙이며 인과응보이며 자연법칙이다.

바가지를 긁고 신세를 한탄하면 수명이 단축된다

남자들은 불평불만을 하지만 차곡차곡 쌓아놓지는 않고 곧 잊어버린다. 여자들은 불평불만을 잊지 않고 차곡차곡 쌓아두었다가 한 번에 조리 있게 표현하는 재능이 있다. 바가지를 긁는 것이다. 바가지를 긁어도 남자는 긁히지 않고 기억하지도 않는다. 여자들은 차곡차곡 쌓아두고 회상함으로써 경락이 자주 닫힌다.

여자들은 나이 들수록 수다를 떨 수 있어야 스트레스 해소에 도움이 된다. 정신없이 시간 가는 줄도 모르고 수다를 떨면 호식 위주의 호흡이 되어 사랑의 에너지를 받을 수 있기 때문이다. 고래고래 소리를 지르며 울분을 터트려도 효과를 본다. 속이 후련해지는 것이다. 그러나 화를 내지는 말아야 한다. 속상하게 하면 안 된다. 화를 내면 심경락이 닫혀 바로 상기된다.

욕심을 내거나 불평불만을 하든가 바가지를 긁으면 신경락 腎經絡이 닫히므로 피해는 본인에게 간다. 신경락은 음기의 순환을 통제하므로 신경락이 닫히면 하단전을 나온 음기가 상단전으로 올라가지 못한다. 신경락이 닫히면 등에 위치하는 대추혈에서 닫혀 양경락 영역에서 흡수된 음기가 상단전으로 올라가지 못한다. 대추혈은 6개의 양경과 독맥이 이어지는 경혈이다. 대추혈에서 닫히면 뇌에 시원한 음기가 공급되지 못해 머리도 아파오고 뇌 세포가 죽어 우울증이 오고 뇌경색으로 이어진다. 대추혈 부근의 근육이 뭉치면서 등과 어깨에 피로감이 오며 약으로 치료하기 어렵고 오랫 동안 고생하게 된다.

하단전을 나온 음기가 소모되지 않고 상단전을 지나 하단전으로 되돌아오면 강화되어 선천기로 저장된다. 따라서 신경락이 닫히면 선천기의 생성이 중단되므로 체력이 급격히 떨어진다. 나이든 사람이라면 밤잠도 제대로 자지 못하고 피로에 시달리고 지치기도 한다. 회복이 되려면 며칠이 걸리기도 한다. 체력만 떨어지는 것이 아니라 몸의 조직도 그만큼 위축되고 기능을 상실했음을 의미한다. 마음을 바꾸어 천성의 마음으로 되돌아와야 경락이 열려 전 상태로 되돌아온다. 이전 상태로 되돌아와도 선천기의 소모로 체력이 떨어지므로 점점 더 피로를 쉽게 느끼게 된다. 죽은 뇌세포는 되살아나지 않는다. 인간이 노화하는 원인이다.

사랑의 에너지로 치유되지 않는 질환은 없다

사랑의 에너지는 치유와 소통의 에너지이므로 사랑은 치유의 기적을 낳는다. 정성으로 간호하고 보살피면 중환자도 살아남는다. 극진한 대접을 받거나 위로나 보살핌을 받으면 가슴이 따뜻해지며 감사하는 마음이 생긴다. 사랑의 에너지를 받았기 때문이다. 따뜻한 말 한 마디는 생명을 구하기도 하고 천 냥 빚을 갚기도 한다.

사랑의 에너지는 호르몬의 생성을 조정하며 유전자까지 조정한다. 자연 치유는 사랑의 에너지의 기전이다. 생명 활동 자체도 사랑의 에너지라야 가능하다. 사랑의 에너지를 순간이라도 공급받지 못하면 생체시계가 멈추어 생명 활동을 하지 못하므로 세포가 죽는다. 사랑의 에너지가 공급되지 못하면 활성산소가 생성되기 때문이다.

사랑의 에너지로 치유되지 않는 질환은 없다. 질병이 약으로만 치료되는 것이 아니다. 약은 증상을 완화시켜줄 따름이다. 약에 포함된 특정한 이온이 전기적 영향을 주어 치료 작용을 하지만 약 자체는 생체전기도 아니며 사랑의 에너지도 아니다. 비타민이나 항산화제, 호르몬 제재를 투여한다 해도 활성산소의 생성을 근본적으로 막지는 못한다. 사랑의 에너지가 공급되지 못하면 활성산소가 생성되기 때문이다. 항산화제는 활성산소의 피해를 감축시키는 효과가 있을 뿐 자체로 활성산소의 생성을 억제하지는 못한다. 약물이나 영양분을 아무리 잘 먹인다 해도 운동을 하지 않으면 조직은 사랑의 에너지를 받지 못해 위축되고 질환으로 이어진다.

스스로 사랑을 실천하든가 조직을 움직여 주어야 움직인 조직이 사랑의 에너지를 받는다. 사랑의 에너지가 공급되면 치유와 생성으로 이어지고 공급되지 못하면 활성산소의 생성으로 질병으로 이어진다. 운동 부족이 질병으로 이어지는 이유이다. 운동 부족을 약으로 치료할 수는 없다. 현대의학에서 말하는 퇴행성 변화나 질환은 사랑의 에너지를 제대로 공급받지 못하여 나타난다. 운동 부족이 원인이므로 약으로만 해결하려 하면 안 된다.

문제는 운동을 한다 해도 우리 몸에 골고루 사랑의 에너지를 공급하기 어렵다는 데 있다. 또한 운동을 한다고 체력이 저절로 생성되는 것이 아니다. 체력이 떨어지면 운동을 하기도 어려우며 운동을 한다 해도 체력이 소모되기만 한다. 체력이 생성되려면 천성의 마음으로 영혼이 활동해야 경락이 열려 사랑의 에너지를 받을 수 있기 때문이다. 나이 든 사람이 체력을 키우기 어려운 이유이다. 더군다나 몸이 아픈 사람의 마음은 몸을 보호하기 위하여 노심초사하며 마음이 뇌를 떠나지 않는다. 극도로 예민해지며 근심 걱정이 끊이지 않는다. 경락이 닫히기 때문이다. 통증이나 질병은 영혼이 육신에게 각성의 기회를 주는 경고이며 또한 은총이다.

젊은 사람이라도 몸에 아픈 부위가 있다면 운동을 해도 치유가 잘 되지 않는다. 운동을 한다 해도 아픈 부위는 움직이지 못하고 건드리지 않기 위해 신경까지 써가며 운동을 한다. 아픈 부위로 사랑의 에너지가 공급되기 어려운 것이다. 육장육부는 물론 근육과 뼈와 피부의 세포 하나하나도 12개의 경락이 지배하는 영역으로 구분되어 있기 때문에 해당 부위를 관장하는 경락을 통해야 사랑의 에너지를 받는다. 어느 조직이든 사랑의 에너지가 공급되지 못하면 활성산소가 생성되어 뇌세포나 혈관을 이루는 내피세포를 죽여 질병과 노화로 이어진다. 모세혈관은 대부분 조직에 존재하므로 사랑의 에너지가 공급되지 못하면 파괴되어 붓고 염증이 생겨 근육이 뭉치는 현상으로 나타난다.

아픈 부위에 사랑의 에너지를 보내려면 아픈 부위를 본인 스스로 마사지하거나 살살 움직여주며 호식과 함께 마음으로 사랑의 에너지를 보내면 된다. 물리치료를 받거나 재활치료를 한다고 다른 사람이 강제로 움직이게 하면 사랑의 에너지가 공급되지 못해 치료 효과가 나타나기 어렵다. 사랑의 에너지는 본인 자신이 마음으로 보내야 전해진다.

우리 몸에서 마음이 다니는 길이 신경이며 기운은 경락을 통하여 움직인다. 마음이 명령을 내리면 뇌가 뇌신경을 통하여 명령을 하달하여 척주관을 지나 일반 신경을 통하여 전달되며 해당 부위까지 도달한다. 해당 신경이 압박을 받든가 염증이 생겼다든가 마비가 오면 명령이 전달되지 못해 사랑의 에너지도 공급되지 못한다. 이로써 해당 기능을 담당하는 뇌세포가 죽든가 척주관협착증이 심해져 뇌신경이 압박을 받아 장애를

154

초래한다면 몸의 기능이 그만큼 어려워지는 것이다.

사랑의 에너지는 암세포도 변이시킨다. 우리 몸의 암도 오랜 세월 사랑의 에너지의 공급이 제대로 이루어지지 않아 발생하는 것이다. 암 조직에 사랑의 에너지를 지속해 공급하면 암세포도 죽는다. 기 순환 운동을 하면서 호식과 함께 마음으로 사랑의 에너지를 암 조직으로 보내면 전해진다. 암 조직과의 기 싸움이므로 서두르지 말고 기 싸움에서 이겨야 한다. 암 조직과 싸워서 단번에 승부를 내려면 안 된다. 주인 입장에서 너그럽게 생각해야 한다. 너와 내가 협력하며 상생하며 살아가면 함께 오래 살 수 있지만 내가 죽으면 너도 죽으니 함께 오래 살자고 타협한다. 나도 잘 살아볼 터이니 암 조직에도 잘 살아보라고 사랑의 에너지를 함께 보내면 오히려 치유의 기적이 이루어진다. 암 조직도 내 몸의 일부이므로 사랑의 에너지가 공급되면 암세포는 하나씩 제거되어 치유의 기적이 나타난다. 사랑의 에너지로 치유되지 않는 질환은 존재하지 않는다. 마음으로 사랑의 에너지를 실어 백혈구에 보내면 된다. 암세포나 병균을 죽이고 면역력을 유지시키는 NK세포natural killing cell를 활성화하면 된다.

인간은 삶을 포기함으로서 죽음에 이르게 된다. 포기와 동시에 인간의 육신이 사랑의 에너지를 받아 순환시킬 수 있는 능력이 떨어진다. 체력이 떨어지는 현상이다. 기 순환 능력이 없어지면 생체전기가 생성되지 못하므로 수명을 다한다. 경락이 열릴 수 있는 마음 상태라야 영혼이 활동한다. 천성의 마음으로 영혼을 활동하게 하면 경락이 열린다. 기도하고 감사하며 확신을 하면 열린다. 영혼이 활동하는 한 인간의 수명은 연장되고 죽지 않는다. 영혼은 늙거나 능력이 떨어지는 것도 아니므로 천성의 마음으로 바꾸기만 하면 사랑의 에너지를 받는다. 긍정적으로 확신을 갖고 영혼을 활동하게 하면 원하는 바가 이루어지는 것이다. 사랑의 에너지로 치유되지 않는 질환은 없고, 해결 되지 못하는 일도 없는 것이다. 오직 사랑으로 모두는 하나가 될 수 있는 것이다. 내가 사랑의 마음으로 다가가기만 하면 되는 것이다.

영혼은 나이를 먹지 않으며 능력이 떨어지지도 않는다. 영혼의 존재를 믿고 긍정적으로 생각하며 천성의 마음으로 되돌아오기만 하면 된다. 사랑의 에너지를 받는 것은 마음을 어떻게 갖느냐에 좌우된다. 마음을 비워 인성의 마음에서 천성의 마음으로 바꾸기만 하면 모두 이루어진다. 영혼이 활동해야 양심과 이성이 작동되어 인간이 해야 할 일을 제대로 수행한다. 창조주의 뜻에 일치하는 일을 하면 영혼이 활동해 사랑의 에너지를 받는다. 몸이 아플수록 정신력으로 극복하고 가능한 몸을 움직여 작은 일이라도 일을 하면 경락이 열린다. 천성의 마음으로 영혼을 활동하게 하는 것이 성패를 좌우한다. 손과 발을 이용하는 일을 해야 우리 몸의 기 순환이 원활하게 이루어진다. 사랑의 에너지를 써서 창조주의 뜻에 일치하는 일을 함으로써 사랑의 에너지를 되돌려 받을수록 건강과 젊음, 기쁨과 행복을 누린다.

인간은 살아가면서 사랑의 에너지를 가족에게 수시로 방사해야 한다. 사랑의 마음을 마음으로 보내면 된다. 기도를 하는 것도 안부를 묻는 것도 사랑의 에너지를 보내는 것이다. 사랑을 주어야 사랑의 에너지를 되돌려 받을 수 있기 때문이다. 사랑의 에너지는 마음으로 보낼 수도 있고, 다른 사람에게 줄 수도 있고 다른 사람으로부터 받을 수도 있다. 받는 사람이 믿지 못하거나 받을 생각이 없다면 전달되지 못한다. 사랑하는 사람에게 사랑을 보내도 받는 사람이 의심을 하거나 믿지 못하면 사랑의 에너지는 전달되지 못한다.

사랑의 에너지는 줌으로서 되돌려 받는다. 사랑이 있는 곳에 보살핌이 있다. 극진한 대접이나 위로를 받거나 보살핌을 받으면 마음이 안정되고 따뜻함을 느낀다. 보살핀다는 것은 마음과 함께 사랑의 에너지를 주는 것이다. 사랑의 에너지를 받으면 따뜻해진다. 식은 밥보다 따뜻한 밥이 좋은 것이다. 피부도 햇빛을 받으면 비타민 D를 생산한다. 버섯이나 대추, 감 등 모든 식물성 작물은 햇빛에 말리면 영양가가 증가한다. 조리된 음식물을 냉동했다가 해동하여 먹으면 영양가는 대폭 경감된다. 햇볕을 쪼이면 우울증도 경감된다. 열이나 햇빛도 사랑의 에너지이기 때문이다. 사랑의 에너지를 받으면 생성으로 이어지고 빼앗기면 소멸로 이어진다.

우리는 염려 덕분에 잘 지내고 있다고 말한다. 옛날 어머니는 가족이 잘 되라고 정한수를 떠놓고 매일 빌었다. 천지신명에게 도움을 요청하며 가족에게 사랑의 에너지를 보낸 것이다. 부모가 정성을 드리고 은덕을 지속해 베풀면 자손에게 은총으로 되돌아온다. 자손 혼자의 힘으로 성공이 이루어지는 것이 아니다.

눈에 보이는 베풂보다 눈에 보이지 않는 베풂이 더 큰 도움이 된다. 눈에 보이는 물질도 사랑의 에너지로 구성되지만 사랑의 에너지의 움직임이 정적인 상태이다. 눈에 보이지 않는 사랑의 에너지의 움직임이 동적이며 강력하다. 사랑의 에너지 자체가 더 중요하다. 기도하는 마음이 더 중요하다. 저주를 하면 경락이 닫혀 사랑의 에너지를 받지 못하므로 저주를 한 본인에게 피해가 간다. 기도는 사랑의 마음과 함께 사랑의 에너지를 보내는 것이다. 사랑의 에너지를 보냄으로써 사랑의 에너지를 되돌려 받는다. 언제나 돌보고 보살피는 사람에게 사랑의 에너지는 되돌아온다. 사랑을 나누고 베푸는 삶을 살아야 하는 이유이다.

사랑을 할 수 있음에 감사해야 하고 사랑을 받을 수 있음에 감사해야 한다. 감사하는 삶은 언제나 경락을 열어준다. 이웃에게 잘 되라고 기도를 하면 사랑의 에너지를 되돌려 받는다. 남이 잘 되기를 바라면 자기 자신이 잘 되고 자기만 잘 되기를 바라면 결코 잘 되지 못한다. 공부를 할 때도 다른 사람의 성적이 떨어지기를 바라면 안 된다. 나도 최선을 다할 터이니 너도 잘 해보라고 할 때 경쟁에서 이긴다. 사랑은 줌으로써 받는다. 아기는 사랑으로 자란다. 아기를 돌보고 보살피면 아기가 사랑의 에너지를 받지만 돌보는 사람도 사랑을 준만큼 사랑의 에너지를 되돌려 받는다.

자손을 잘 돌보아 주어야 하는 이유이다. 노인이 되어 치매에 걸리는 것도 자기의 수명을 늘리기 위한 자구 수단의 하나인 것이다. 뇌를 사용하지 못하는 만큼 생체전기의 소모량도 감축되기 때문이다. 치매에 걸리면 근심걱정도 사라지고, 밤에는 잠도 잘 자고, 소화도 잘 되며, 아픔도 줄어들고 수명이 연장된다. 본인에게는 대박인 것이다. 그러나 본능적으로 인성의 삶을 살아가므로 영혼이 활동하지 못해 사랑의 에너지를 되돌려 받지 못한다. 양심과 이성이 사라지므로 해야 할 일과 하지 말아야 할 일을 구분하지 못한다. 본능적으로 하고자 하는 일만 하며 이루어지지 않으면 어떤 행위를 할지 모른다. 치매를 돌보고 보살피는 사람이 힘들어질 뿐이다. 병든 이를 수발하며 사랑의 에너지를 주면 준만큼 수발한 사람은 사랑의 에너지를 되돌려 받는다. 육신은 힘이 들어도 영혼은 행복해지는 것이다. 영생을 누릴 수 있기 때문이다.

인간은 노인이 되면 아프면서 늙어가므로 영혼이 양기의 순도를 높일 수 있는 결실기이다. 작은 일이라도 일을 하면 사랑의 에너지를 되돌려 받는다. 아픈 사람을 돌보면 힘이 들지만 돌본 사람이 사랑의 에너지를 되돌려 받는다. 아픈 사람은 자기를 희생하여 다른 영혼에게 영생을 얻게 함으로써 자기의 영생으로 되돌아온다. 부부가 오래 살며 해로하는 것만으로도 천국과 영생으로 이어진다. 인간은 홀로 살아갈 수 있는 존재가 아닌 것이다. 인간은 서로 돕고 협력하며 사랑을 나누고 베푸는 삶을 살아야 한다. 행복도 나누고 고통도, 슬픔도 나누어야 한다. 행복은 나눌수록 커지고 슬픔은 나눌수록 작아진다. 살아가는 데 더 이상 도움이 될 것 같지 않고 희생을 더 이상 하지 않겠다는 생각으로 황혼 이혼이 늘고 있다. 사랑의 에너지를 되돌려 받을 수 있는 결실기를 놓쳐 영생과 멀어지는 일이다.

7

영혼과 인간의 삶

영은 사랑의 에너지를 받아야 자라고 성숙한다

인간의 삶의 목적은 영혼이 자라고 성숙하며 사랑과 양기의 순도 차원을 높여 창조주와 일치를 이루어 영생을 누리는 것이다. 우주라는 자연에 영혼의 형태로 영원히 존재하는 것이다. 죽음이라는 것은 육신이 자연으로 되돌아가는 것이다. 영혼은 죽지 않고 하늘나라 영계라는 자연으로 되돌아간다. 산과 들, 강, 바다, 해, 별, 생명체, 인간 등 눈에 보이는 것뿐 아니라 공기도 대기도 모두 자연인 것이다. 눈에 보이는 자연은 4%에 지나지 않고 에너지로 환산하면 10억 분의 1에 지나지 않을 뿐이다. 나머지는 모두 대기이며 공기이며 진공으로 공空이다.

이생에서는 눈에 보이는 음기의 형태를 하고 살아가지만 저생으로 가면 눈에 보이지 않는 양기의 형태로 살아간다. 음기의 형태도 사랑의 에너지를 지속해 받으면 양기의 형태로 바뀐다. 쇳덩이도 열을 가해서 태워버리면 소실되어 없어진다. 없어지는 것이 아니라 양기의 형태로 되어 공空이 되어 자연으로 되돌아간다. 색즉시공色卽是空이다. 열도 사랑의 에너지이지만 열로서는 영혼을 태울 수 없다. 영혼은 태워지지 않고 사랑의 에너지로 자라고 성숙하여 양기의 순도를 높인다. 영혼은 사랑의 에너지를 받을수록 자라고 성숙되며 사랑과 양기의 순도가 높아져 영생으로 이어진다.

영혼을 소유한 육신이 양기의 형태를 갖도록 자라고 성숙하려면 사랑의 에너지를 되돌려 받아야 한다. 사랑의 에너지를 받으려면 보살핌을 받든가 사랑을 실천하는 일을 해야 한다. 창조주의 몸인 인간뿐 아니라 자연과 다른 생명체를 보살피고 가꾸는 일이 사랑이며 인간이 해야 할 일이다. 창조주의 몸과 조화를 이루며 일체가 되고 하나가 됨이 사랑이다. 사랑은 하나가 되는 것이다. 다른 인간과 하나가 될 수도 있고 자연이나 반려동물과도 하나가 될 수 있다. 내 몸과 마음과 정신이 일체가 되어도 사랑의 에너지를 받는다. 사랑을 배우거나 실천하는 일을 해도 영혼이 활동해 사랑의 에너지를 받는다. 창조주는 사랑이며 진·선·미 자체이므로 사랑과 진·선·미를 추구해도 사랑의 에너지를 받는다.

사랑의 에너지를 써서 창조주의 뜻에 일치하는 일을 해야 사랑의 에너지를 되돌려 받는다. 일을 하지 않는 자 먹지도 말라고 했다. 인간이 일을 하며 살아야 하는 이유이다. 부지런히 몸을 움직이며 일을 하는 사람은 건강을 유지하며 장수를 누린다. 죽을 때까지 일을 하는 사람은 행복한 사람이다. 육신이 사랑의 에너지를 받으려면 몸을 움직여 일을 하거나 운동을 해야 한다. 운동을 하여 몸만 건강하다면 의미가 없다. 인간의 삶의 목적이 몸만 만들고 건강을 유지하는 것이 아니기 때문이다. 건강한 몸으로 창조주의 뜻에 일치하는 일을 하여 사랑의 에너지를 되돌려 받아야 한다.

사람은 운동과 건강관리만 하며 살아갈 수가 없다. 나이 들어 정년퇴직을 했더라도 마찬가지이다. 여가활동과 취미생활만 하며 살아갈 수가 없다. 여가활동이나 취미생활은 일을 하고 난 이후 휴식의 수단으로 이용되는 것이다. 하는 일이 없이 여가활동이나 취미활동만 한다면 경락이 열리지 않아 체력의 소모로 이어질 뿐이다. 나이 들어 체력을 늘리기 어려운 이유이다. 나이 들어 체력을 늘리려면 우선 삶의 목적을 확실히 정하고 그 일을 달성하기 위하여 체력을 단련하면 영혼이 활동해 경락이 열리므로 체력이 쉽게 늘어난다. 삶의 목적이 없다면 영혼은 활동하지 않는다.

인간의 삶의 목적은 사랑의 실적을 올려 사랑의 에너지를 되돌려 받는 것이다. 인간은 해야 할 일이 없다면 이생을 마감해야 한다. 영혼이 활동하지 못해 경락이 열리지 않기 때문이다. 영혼이 활동해 사랑의 에너지를 받으려면 사랑을 배우거나 실천하는 일을 해야 한다. 반드시 창조주의 뜻에 일치하는 일을 해야 한다. 사랑의 에너지를 사용해 사랑을 줌으로써 사랑의 에너지를 되돌려 받는다. 되돌려 받는 사랑의 에너지라야 영혼을 자라게 하고 성숙하게 한다. 영혼이 양기의 순도를 높여야 영계로 되돌아가 영생을 누린다. 되돌려 받는 사랑의 에너지라야 영혼을 성숙시키고 양기의 순도를 높인다.

체력을 단련하여 몸을 만들기만 하면 의미가 없다. 무엇이든 배우기만 하고 써먹지 못하면 배운 의미가 없다. 사랑을 배우고 배운 사랑을 실천하는 일을 해야 사랑의 에너지를 되돌려 받는다. 단련된 체력으로 창조주의 뜻에 일치하는 일을 해야 사랑의 에너지를 되돌려 받는다.

되돌려 받는 사랑의 에너지도 일을 하는 데 소모한 체력만큼 되돌려 받을 수 있어 체력을 우선적으로 키워야 한다. 산속에 들어가 도만 닦는다고 도가 트이는 것이 아니다. 사랑의 실적이 따르는 것만큼 트인다. 창조주의 몸인 자연을 보살피고 돌보는 일을 해도 사랑의 실적으로 올라간다. 사랑의 에너지로 영혼의 양기의 순도를 높이는 만큼 영생을 누린다. 영혼의 양기의 순도 차원이 높아져 창조주와 가까워지면 영생을 누린다. 사랑의 순도가 떨어져 창조주와 멀어지면 영생을 잃는다.

영혼도 자라고 성숙해야 양기의 순도가 높아진다. 영혼은 사랑의 에너지를 먹고 자라고 성숙한다. 지상 생활은 영이 자라고 성숙할 수 있는 유일한 기회이다. 영계에서는 영 스스로 자라거나 성숙하지 못한다. 인간은 영을 성장시키기 위하여 지상으로 태어난다. 영이 성장하려면 창조주의 뜻에 일치하는 일을 하여 사랑의 에너지를 되돌려 받아야 한다. 공덕을 쌓아야 한다.

인간은 영혼이 영생을 얻기 위하여 사랑의 교육장인 지상 교육장으로 입소한다. 인간은 일을 하기 위하여 태어난 것이다. 할 일이 없으면 사랑의 교육장을 퇴소해야 한다. 나이 들어 정년퇴직을 했다 하더라도 해야 할 일이 없으면 질병에 시달리며 소멸의 길을 가야 한다. 인간은 죽을 때까지 일을 해야 한다. 그렇게 하는 사람은 행복한 사람이다. 영생을 누릴 수 있기 때문이다. 영혼을 받고 태중에서 부모로부터 정기를 받아 생혼生魂으로 태어나서 성장하며 사랑을 배우며 실천하여 깨달음을 얻고 각혼覺魂되어 되돌아가는 것이 인생이다.

영이 자라고 성숙해야 행복을 누린다

창조주는 영에게 사랑을 배우고 실천하는 일을 함으로써 사랑을 확실하게 알게 하기 위하여 인간으로 탄생시킨다. 말과 머리로만 한 사랑의 실천은 실적으로 올라가지 못한다. 힘들이고 땀 흘려 창조주의 뜻에 일치하는 일을 해야 사랑의 에너지를 되돌려 받는다. 고통과 자기희생이 클수록 큰일이 된다.

창조주의 뜻에 일치하는 일을 많이 할수록 사랑의 에너지를 되돌려 받아 창조주의 마음과 의도를 알게 되어 깨달음이 깊어지고 사랑과 양기의 순도 차원이 높아진다. 창조주의 뜻에 일치하는 일은 사랑을 배우거나 배운 사랑을 실천하는 일이다. 창조주는 사랑이며 진·선·미 자체이므로 사랑을 실천하는 일을 하고 선하고 바르고 아름답고 착하게 살아야 한다.

창조주의 몸인 인간뿐 아니라 모든 생명체와 자연을 보살피고 가꾸는 일이 사랑이며 인간이 해야 할 일이다. 사랑을 실천하면 사랑의 에너지를 되돌려 받아 사랑의 마음이 자라며 영혼은 순수해지며 성숙한다. 인성의 마음이 순화되어 하늘마음인 천성의 마음으로 바뀐다. 사랑의 에너지를 많이 받을수록 깨달음이 깊어지고 인성의 마음이 순수해져 천성의 마음으로 바뀌며 사랑의 마음이 커지며 양기의 순도가 높아진다. 오지에서 농사일을 하며 순박하게 살아가는 노인의 깨달음이 학문을 한 사람의 것보다 깊은 경우도 흔히 있는 것이다. 사랑의 에너지를 많이 받을수록 기쁨과 행복, 건강과 젊음, 번영과 성공을 누린다.

인성의 마음이 순수해지면 천성의 마음인 하늘마음이 된다. 하늘마음이라야 사랑의 에너지를 받는다. 창조주의 뜻에 일치하는 일을 해야 사랑의 에너지를 되돌려 받는다. 일을 하여 사랑의 에너지를 되돌려 받아야 인성의 마음이 하늘마음으로 바뀐다. 영계는 하늘나라이며 영혼만이 갈 수 있는 마음과 정신의 세계이다. 천성의 마음이라야 갈 수 있다.

천성의 마음이 되면 창조주와 일치를 이루어 영생을 누린다. 인간은 천성의 마음을 유지할 때 창조주의 모습이 되어 인간다운 모습이 된다. 지상에서 행복을 누리며 사는 사람은 천국으로 간다. 사랑을 실천하는 일을 해야 사랑의 에너지를 되돌려 받아 기쁨과 행복을 누릴 수 있기 때문이다. 건강과 젊음, 기쁨과 행복, 번영과 성공, 천국은 모두 사랑의 피드백이다. 사랑을 실천하는 일을 한 대가로 받는, 창조주가 보상으로 주는 선물이며 은총이며 사랑이므로 천국으로 이어진다.

사랑의 에너지를 되돌려 받아 행복을 누리며 살아가는 사람만이 천국으로 간다. 인간의 삶의 목적은 행복을 누리는 것이다. 결코 부귀와 영화를 누리는 것이 아니다. 행복이나 천국은 사랑을 실천함으로서 되돌려 받는 사랑의 에너지이며 보상이며 은총이며 사랑의 피드백이다. 그러므로 인간은 사랑을 나누고 베푸는 삶을 살아야 한다. 백년을 해로하며 사는 부부는 모두 천국으로 간다. 죽는 날까지 감사하며 살아가는 사람은 천국으로 간다.

영혼의 활동이 인간의 삶이다

인간은 영혼의 존재 이유를 충족시키고 삶의 목표를 달성하기 위하여 살아간다. 따라서 인간은 창조주의 뜻에 일치하는 일을 해야 한다. 창조주의 뜻에 일치하는 일을 하려면 영혼이 활동해야 한다.

인간의 몸에서 단전호흡과 기 순환으로 생체전기를 만드는 행위가 영혼의 활동이다. 영혼이 활동해야 사랑의 에너지를 받고 순환도 이루어진다. 영혼이 활동하지 않으면 사랑의 에너지를 받지 못하여 단전호흡도 이루어지지 못한다. 사랑의 에너지를 받지 못하면 체력을 소모해 수명의 단축으로 이어지고 활성산소가 생성되어 질병과 노화로 이어진다. 사랑의 에너지를 많이 받을수록 건강과 젊음, 기쁨과 행복을 누리며 영혼은 양기의 순도가 높아진다.

단전호흡과 기 순환의 주기가 폐호흡의 주기와 일치하더라도 영혼이 활동해 경락이 열려야 사랑의 에너지가 들어와 순환되어 생체전기가 된다. 영혼이 활동하지 못하면 폐호흡을 해도 단전호흡과 기 순환은 이루어지지 않는다. 선천기를 소모해 발전기를 돌려 생체전기를 생산해 써야 하므로 체력이 소모되고 노화와 질병으로 이어진다.

영혼이 활동하면 사랑의 에너지를 받을 수 있어 생체전기가 자동으로 생산되어 선천기가 소모되지 않는다. 그만큼 수명이 연장된다는 의미이다. 영혼이 활동하지 못하면 사랑의 에너지를 받지 못해 선천기를 소모해야 하므로 노화와 수명의 단축으로 이어진다. 선천기가 모두 소진되면 죽는다. 영혼은 육신을 이용할 수 없으므로 겉옷과 같은 육신을 벗어버리고 영계로 되돌아간다.

영계로 돌아간 영혼은 창조주로부터 받은 기[魂]를 반납하고 영으로 되돌아간다. 인즉천人卽天이요 천즉인天卽人이다. 기를 수련하는 단체에서는 정·기·신의 과정을 밟으면 죽음이요 신·기·정의 과정을 밟으면 탄생으로 생각한다. 사랑의 에너지를 받을수록 신·기·정이 견고해져 정精이 기氣가 되고, 기가 신神이 되면 도를 통하게 되고 영생과 이어지는 것이다. 영은 영계에서 자신의 양기의 순도에 일치하는 차원에 스스로 머문다. 누구의 심판도 받지 않는다. 양기의 순도는 되돌려 받은 사랑의 에너지의 양으로 나타나며 사랑의 순도이다. 따라서 영혼의 존재 때문에 인간은 자주 삶을 뒤돌아보고 그 동안의 사랑의 실적을 점검하고 되새겨 보아야 한다. 그렇게 함으로서 새로운 목표와 희망을 갖기 때문이다.

인간은 영혼이 활동하면 영혼이 뇌와 심장의 기능을 통제한다. 영혼이 활동하면 양심과 이성이 작동하므로 해야 할 일과 하지 말아야 할 일을 구분할 수 있어 창조주의 뜻에 일치하는 일을 한다. 영혼이 활동하지 않으면 양심과 이성은 작동하지 못하며 뇌가 인간의 육신을 통제한다. 인간은 영혼이 활동하지 않아 양심이 작동하지 못하면 이성을 잃어 해야 할 일과 하지 말아야 하는 일을 구별하지 못한다. 인간이 해야 할 일은 창조주의 뜻에 일치하는 일이며 하지 말아야 할 일은 창조주의 뜻에 어긋나는 일이다. 개인뿐 아니라 단체나 기업, 국가도 해야 할 일이 있고 하지 말아야 할 일이 있는 것이다. 해야 할 일을 할 때 사랑의 에너지를 받아 번성하고 발전하는 것이다. 해야 할 일은 모두 창조주의 뜻에 일치하는 일이다. 개인이든 단체든 인간 사회에서는 어디에나 적용되는 것이다.

영혼의 활동은 얼굴에서 잘 나타난다

얼굴은 얼魂이 드나드는 굴이며 마음의 상태를 나타내는 창窓이다. 마음의 상태에 따라 영혼이 활동하고 경락이 여닫히므로 기 순환 상태가 얼굴에 잘 나타나기 때문이다. 영혼이 활동해 경락이 열려야 사랑의 에너지를 받아 얼굴이 본래의 모습이 된다. 인간은 영혼이 활동해 사랑의 에너지를 충분히 받아야 행복한 모습이 되어 얼굴이 제 모습이 된다. 건강과 젊음, 기쁨과 행복이 넘치는 얼굴이 사랑의 에너지를 충분히 받은 얼굴 모습이다. 건강과 젊음, 기쁨과 행복은 모두 사랑을 실천함으로써 창조주로부터 받는 은총이며 보상으로 사랑의 피드백이다.

인간은 사랑의 에너지가 부족해지면 우울하고 근심, 걱정, 불안, 초조, 불만이나 두려움을 느끼는 얼굴, 욕심이 가득 찬 얼굴 모습이 된다. 근심걱정이 해소되지 못하고 적체되면 우울증憂鬱症이 오고 우울한 모습이 된다. 화를 내면 화내는 모습이 된다. 사랑의 에너지가 순환되는 양상은 안색顔色에서 잘 나타나고 특히 눈에서 가장 잘 나타난다. 눈이 사랑의 에너지 소모량이 가장 크기 때문이다. 눈에서 발산하는 기는 그 사람됨을 보여준다. 얼굴과 눈의 모습을 보고 그 사람의 건강과 성질을 판단할 수 있고 마음의 상태뿐 아니라 패기와 의욕과 자신감 여부까지도 짐작할 수 있다. 눈의 모습을 눈초리라고 하기도 하고 눈매라고 하기도 한다. 복수심이 마음에 차면 눈에서 살기가 느껴지기도 한다. 눈이 초롱초롱하고 광채가 나면 뇌의 기능도 잘 이루어진다는 의미이므로 머리가 좋아 똑똑할 것으로 추정한다. 눈이 맑으면 성실하고 착한 사람으로 생각되고 어두우면 음흉한 사람으로 생각되기도 한다.

마음 상태에 따라 영혼의 활동과 기 순환이 달라지므로 그 모습이 얼굴에 그대로 나타난다. 내가 다가갈 수 있는 사람인지 어려운 사람인지를 알 수 있다. 말하고 행동하는 모습에서 그 사람의 품위가 나타난다. 긍정적인 사람인지 부정적인 사람인지, 인자한 모습으로 나타나기도 하고 불평불만에 탐욕스러운 얼굴로도 나타난다. 백인 백태이다. 불평불만이나 원망의 마음을 품으면 결코 사랑스럽고 인자한 얼굴 모습이 되지 못한다. 나이 들어가며 자기의 얼굴 모습은 자기의 책임이라는 말은 의미가 있는 것이다.

뇌와 심장과 근육의 작동은 사랑의 에너지로 이루어진다. 얼굴에는 사랑의 에너지로 작동되는 감각기관이 집중되어 눈, 코, 귀, 입, 피부라는 오관五官이 있어 뇌의 의식 활동을 유발한다. 오욕과 팔정이 생겨 희로애락과 생로병사의 현상으로 나타난다. 사랑의 에너지가 공급되지 못하면 안색이 나빠지며 눈의 광채가 감소되며 심하면 눈동자가 풀어지며 자신감이나 패기나 의욕이 없어 보인다. 노화가 진행되면 눈의 기능이 가장 먼저 떨어지고 코와 귀, 혀도 기능이 떨어지지만 다른 사람은 눈치 채지 못한다. 눈에 총기가 빠지고 초점이 흐려지면 결코 건강해 보이지 않는다. 얼굴은 탄력이 없이 푸석푸석 부은 모습이며 활기가 없어 보이고 까칠해 보이고 누렇게 뜬 모습이다. 사랑의 에너지가 공급되면 눈에서 빛이 나고 얼굴이 환하고 화색이 돌며 의욕적이며 활기차 보이며 탄력이 생겨 탱글탱글해 보이며 건강하고 젊어 보인다. 기쁨과 행복을 누리는 모습이 된다. 동공이 풀리고 수축되지 못하고 반응이 없으면 죽음을 의미한다.

건강해 보일 때 화색이 돌고 신수身手가 좋아 보인다고 말한다. 어르신의 건강을 물을 때 근력筋力이 어떠하신지를 묻는다. 근력이 기를 순환시킬 수 있는 능력이기 때문이다. 근력이 좋아야 손발을 이용해 일을 할 수 있으므로 일을 잘 하는가를 묻는 것이다. 근력이 좋으면 기 순환이 잘 된다는 의미이므로 건강하다는 의미이다.

우리는 상대방이 말하는 목소리를 듣거나 전화 목소리만 들어도 그 사람의 마음이 평화로운지, 화가 나 있는지, 기력이 떨어져 있는지, 기력이 왕성한지 그 사람의 건강 상태를 짐작할 수 있다. 모두 사랑의 에너지로 가동되므로 기 순환 상태를 짐작할 수 있는 것이다.

화를 내면 화내는 모습이 되고 기분이 좋아지면 즐거운 모습으로 바뀐다. 다른 사람이 얼굴을 보는 순간 그 사람의 기혈순환 상태를 쉽게 느낄 수 있으나 본인은 거울을 보아도 자기의 얼굴 모습이 달라지는 현상을 눈치 채지 못한다. 본인의 눈의 기능이나 상태도 자기의 기 순환 능력에 따르기 때문이다. 달리는 차 안에서 달리는 것을 인식하지 못하는 현상과 같은 것이다. 나이 든 사람이 어릴 때 친구를 만나면 옛날 그대로라고 말한다. 보는 눈의 상태도 함께 늙었기 때문이다. 젊은 사람이 오랜만에 어르신을 만나면 표현을 할 수 없지만 노화가 진행되었음을 실감한다.

인간은 천성의 마음이 될 때 창조주의 모습이 되며 인간 본래의 모습이 된다. 기쁘고 행복에 넘치는 모습이 본래의 모습이다. 누구든 기뻐하고 행복해하는 모습은 참되고 밝고 아름답

174

고 선해 보이고 사랑스럽다. 사랑의 에너지가 충만하기 때문이다. 어린이가 그럴 때는 더하다. 모든 어린이는 마음이 순수하기 때문에 누구나 사랑스럽고 예쁘다. 젊은이가 사랑의 에너지를 받으면 생기가 나고 사랑스럽고 아름다워 보인다. 노인이 사랑의 에너지를 많이 받으면 인자한 모습으로 바뀐다. 노인이 될수록 인자한 모습을 보여야 한다.

영혼의 활동과 경락의 여닫힘

동양에서는 인간의 정신을 주관하는 것을 혼魂이라 하고 육체를 주관하는 것을 백魄이라 한다. 혼백魂魄을 넋이라 하며 영혼을 의미한다. 삼혼칠백三魂七魄이 있다고 한다. 부모가 결합하여 잉태하면 영혼靈魂을 받고 부모의 정기精氣를 받아 생혼生魂으로 태어나 성장하며 사랑을 배우고 실천함으로써 깨달음을 얻고 각혼覺魂이 되어 되돌아가므로 삼혼이다. 영혼이 성숙하고 자라 깨달음을 얻고 인격을 닦아 각혼이 되어 되돌아가는 것이 인생이다. 다시 태어날 때는 각혼이 갖는 양기의 순도를 그대로 갖고 나온다고 한다.

백魄은 사람의 성장을 돕는 음의 기운으로 육체를 주관한다.

백의 작용으로 오관五官이 작용하여 뇌가 의식 활동을 한다. 백은 안식眼識, 이식耳識, 비식鼻識, 설식舌識, 신식身識, 의식意識, 말나식末那識을 주관하여 칠백七魄이며 칠정七精을 의미하기도 한다. 칠백은 사람이 죽으면 육신과 함께 땅으로 들어가 지기地氣와 합일된다. 삼혼은 하늘로 올라가 천기天氣와 합일된다. 모두가 사랑의 에너지로 인하여 나타나는 현상이며 사랑의 에너지인 것이다.

인간은 몸精과 마음神과 정신氣으로 이루어진다. 몸을 지배하는 힘의 원천을 정精, 마음을 지배하는 힘의 원천을 신神, 정신을 지배하는 힘의 원천을 기氣라 한다. 신神은 혼魂의 명령을, 기氣는 영靈의 명령을, 정精은 백魄의 명령을, 정신은 영혼의 명령을 받는다. 정신은 기氣이므로 정신과 기를 주관하는 것이 영혼이다. 정신과 기는 마음을 따라다니고 마음이 하라는 대로 한다. 몸과 정신도 마음의 노예이며 세상만사 모두 마음먹기에 따라 이루어지므로 일체유심조一切唯心造이다. 이때의 마음은 불교에서 말하는 순수한 마음이며 하늘마음으로 신神이다. 인성人性의 마음이 아닌 천성天性의 마음이다. 천성의 마음은 하늘마음으로 영혼의 마음인 양심이다. 영혼의 마음이라야 영혼이 활동하여 사랑의 에너지를 마음대로 운용할 수 있다. 천성의 마음神을 알아서 통하게 되면 깨달음이 오고 신통神

通하게 되어 우주의 생성과 소멸의 원리를 알게 된다.

창조주는 사랑의 에너지를 통하여 우주 만물의 생성과 소멸을 주관하고 통섭한다. 창조주의 뜻에 일치하면 사랑의 에너지를 주고 어긋나면 주지 않는다. 사랑의 에너지를 받으면 생성되고 번성하며, 받지 못하면 위축되고 소멸된다. 우주 만물은 사랑의 법칙, 인과법칙, 자연법칙에 따라 생성과 소멸이 이루어진다. 이들 법칙은 동일하며 창조주가 사랑의 에너지를 운용하는 법칙이다.

모든 생명체는 창조주가 주는 사랑의 에너지를 받아 순환시켜 생체전기를 만들어 세포 하나하나가 생명 활동을 함으로써 신진대사를 유지한다. 창조주가 모든 생명을 주관하므로 생명 활동에 쓰이는 사랑의 에너지는 무상으로 공급된다. 모든 생명체는 부모로부터 받은 정기精氣를 소모하여 발전기를 돌려 단전호흡을 함으로써 사랑의 에너지인 음기와 양기를 흡수하여 생체전기를 생산한다. 생체전기를 생산하려면 정기(선천기)를 소모해야 하므로 수명은 단축되기만 한다. 인간은 영혼이 있어 영혼이 활동하면 스스로 생체전기를 생산한다. 영혼이 활동해 경락을 열어주어야 사랑의 에너지가 우리 몸으로 들어온다. 영혼이 활동하지 못하면 사랑의 에너지를 받지 못해 다른 생명체처럼 정기를 소모하며 살아가야 한다. 영혼이 활동하지 못하면 체력이 소모된다.

인간의 육신을 조정하는 주체는 뇌와 심장이다. 뇌와 심장과 근육의 기능은 인간의 삶을 좌우한다. 뇌와 심장의 기능을 조정하는 주체는 머릿속 상단전에 머무는 영혼이다. 영혼이 희로애락과 생로병사를 조절한다. 영혼은 뇌와 심장과 근육을 작동시키는 생체전기의 생산을 조절함으로서 인간의 삶을 지배하고 총괄한다. 인간은 영혼을 소유한 창조주의 분신이므로 영혼이 활동하면 생체전기의 생산은 스스로 이루어진다. 인간이 창조주의 뜻에 일치하는 활동을 하면 영혼이 활동해 경락을 열어 사랑의 에너지를 받고, 어긋나는 활동을 하면 영혼이 활동하지 못해 경락이 닫히고 사랑의 에너지를 받지 못한다.

영혼은 단전호흡으로 사랑의 에너지를 직접 받아 생체전기를 스스로 생산한다. 생체전기를 만드는 활동이 영혼의 활동이다. 영혼이 활동하지 않으면 체력은 소모되고 수명은 단축되기만 한다. 인간은 영혼이 활동하면 경락이 열려 사랑의 에너지를 마음대로 쓸 수 있다. 사랑의 에너지는 창조주 자신이므로 영혼은 사랑의 에너지를 마음대로 무상으로 운용할 수 있다. 영혼의 활동이 지속되는 한 생체전기도 지속적으로 생산되므로 죽지 않는다. 영혼은 나이 들어도 늙거나 능력이 떨어지지도 않는다. 천성의 마음으로 되돌아오기만 하면 사랑의 에너지를 받을 수 있는 것이다. 인간의 생명력과 면역력, 적응력이 모든 생명체 중에서 가장 강한 이유이다. 영혼의 존재 때문에 인간은 초인적인 일도 하고 인간사회가 발전하게 된 것이다. 나이 들어서도 노익장을 누리며 젊은이들 못지않게 활동하는 사람도 많은 것이다. 영혼이 없는 동물은 고등 동물이라 하더라도 노익장은 누리지 못하는 것이다.

영혼은 경락을 여닫아 뇌와 심장과 근육을 작동시키는 동력인 생체전기의 생산을 통제한다. 경락을 여닫아 사랑의 에너지를 통제해 체력의 생산을 조정한다. 뇌와 심장과 근육은 생체전기로 작동된다. 영혼은 뇌와 심장과 근육의 작동을 통제함으로서 인간의 삶과 수명을 조절한다. 영혼이 활동하면 체력을 스스로 만들고 활동하지 못하면 저장된 체력인 정기精氣를 소모해야 하므로 수명의 단축으로 이어진다.

인간은 영혼이 활동하면 영혼이 뇌와 심장의 기능을 통제한다. 영혼이 활동하지 못하면 뇌가 심장과 육신을 통제한다. 뇌가 작동해 의식이 활동하면 영혼이 활동하지 않는다. 영혼이 활동하면 뇌가 의식 활동을 하지 못한다. 절대적인 무의식 상태에는 이를 수 없지만 무념무상의 상태라야 영혼이 활동하며 경락이 열린다. 일에 집중하면 뇌가 의식 활동을 하지 못하므로 경락이 열린다. 단전호흡 수련이나 명상, 참선으로 수행이 가능한 이유이다.

잠을 자면 경락이 열리므로 소모된 체력을 보충하려면 반드시 잠을 자야 한다. 육신은 음기이므로 육신의 성장은 밤에 이루어진다. 잠을 자도 낮잠보다는 밤잠 특히 자정을 전후해 잠에 빠져야 효과적으로 음기를 받는다. 음기가 극에 이르는 시각이기 때문이다. 모든 생명체의 성장은 밤에 이루어지고 낮에는 양기를 받아 강해진다. 양기가 극에 이르는 시각은 정오이므로 심장의 기능이 가장 좋은 시각인 것이다. 창조주의 뜻에 일치하는 일에 몰두하면 경락이 열린다. 나를 잊고 일에 빠지면 경락이 열린다. 그러다가도 뇌가 의식 활동을 해 뇌식腦識이 이루어지면 경락이 닫힌다.

영혼이 활동해야 경락이 열려 스스로 생체전기를 대량으로 생산할 수 있다. 세포의 생명 활동은 물론 지·덕·체와 진·선·미를 추구하고 육체적이나 정신적인 일을 할 수 있다. 생체전기의 생산이 활발할수록 체력이 늘고 자신감도 생기며 불가능한 일도 가능하게 바꾸는 능력이 생긴다. 영혼의 존재 때문에 인간 사회가 발전한다. 영혼이 활동해 사랑의 에너지가 순환되면 영혼은 육신을 지켜준다. 인성의 내가 삶을 포기함으로써 죽음에 이른다.

현대의학은 인간의 체력(기운)을 생산하고 거둬들이는 역할을 누가 어디서 어떤 기준으로 왜 어떻게 조정하는지 그 기전이나 이루어지는 메커니즘을 모른다. 체력이 어떻게 생성되어 전달되고 어디에 저장되는지도 모른다. 뇌가 신경을 통하여 지령을 내린다고 생각하는데 뇌를 누가 조정하는지, 판단의 기준이 무엇인지도 모른다.

모두 내 몸속의 영혼이 판단하여 창조주의 뜻에 일치 여부에 따라 결정한다. 인간이 창조주의 뜻에 일치하는 마음을 갖든가 일치하는 일을 하면 경락이 열려 사랑의 에너지를 받는다. 사랑의 에너지를 받아 순환시키면 생체전기가 되어 쓰고 남으면 정기로 바꾸어 하단전에 저장된다. 수명이 연장된다는 의미이다. 영혼이 활동하면 동시에 사랑의 에너지를 받아 체력이 스스로 생성되어 체력이 소모되지 않는다. 경락이 닫히면 하단전에 저장된 정기를 생체전기로 바꾸어 사용하므로 체력이 소모되고 수명의 단축으로 이어진다.

영혼은 경락을 여닫아 사랑의 에너지 공급을 통제함으로써 생체전기의 생산을 조절한다. 영혼은 생체전기의 생산을 통제함으로써 뇌와 심장과 근육의 작동을 통제해 삶의 희로애락과 생로병사를 좌우한다. 영혼이 활동하면 체력이 생성되고, 활동하지 않으면 체력은 떨어진다. 인간은 영혼이 활동하면 수명이 연장되고, 활동하지 않으면 수명이 단축된다. 정기는 생체전기로 충전된 배터리이므로 영혼이 활동하면 배터리가 충전되고 활동하지 않으면 방전되는 것이다. 영혼이 활동하든 하지 않든 생체전기는 순간이라도 공급되지 못하면 세포는 죽는다. 생체전기가 공급되지 못하고 단전斷電이 되면 블랙아웃black-out 되어 기절氣絶하기도 하고 뇌사하거나 심장마비로 죽는다.

인간의 몸과 정신은 마음이 하라는 대로 행동하므로 마음의 노예이다. 그렇다면 어떤 마음일 때 어떤 행동을 할까? 인간은 부모로부터 받은 인성의 마음과 창조주로부터 받은 천성의 마음을 소유한다. 인성의 마음일 때 영혼은 활동을 하지 못하여 인성의 삶을 산다. 하늘마음인 천성의 마음일 때 영혼이 활동해 천성의 삶을 산다.

천성의 마음은 인성의 마음을 비워야 도달한다. 인간은 마음을 비워야 사랑의 에너지를 받는다. 인성의 마음인 욕심을 버리고 천성의 마음인 양심이 작동되어야 사랑의 에너지를 받는다. 영혼이 활동해 이성이 발동되어야 창조주의 뜻에 일치하는 일을 한다. 욕심이 발동하면 이성이 작동하지 못하므로 창조주의 뜻에 어긋나는 일만 골라한다. 영혼이 활동해 일을 함으로써 사랑의 에너지를 되돌려 받아야 영혼이 자라고 성숙하며 양기의 순도를 높인다. 욕심을 버리고 비워야 사랑의 에너지를 받는다. 내려놓는 데서 인생의 완성이 이루어지는 이유이다.

영혼이 활동하지 못하면 이성을 잃어 본능적이며 창조주의 뜻에 어긋나는 일을 하므로 사랑의 에너지를 받지 못해 소멸의 길을 간다. 영혼은 되돌려 받는 사랑의 에너지로 자라고 성숙한다. 영혼이 자라고 성숙하지 못하면 질병으로 이어진다. 사랑의 에너지가 공급되지 못하면 활성산소가 생성되어 질병과 노화로 이어지기 때문이다. 질병이나 통증은 사랑의 에너지가 부족하다는 증표이며 경고이다.

인간은 영혼이 바라는 바를 행해야 영혼이 자라고 성숙하며 삶의 목표에 다다른다. 삶의 목표는 기쁨과 행복을 누리는 것이다. 영원한 행복은 영혼이 창조주와 함께 영생을 누리는 것이다. 삶의 목표를 달성하고 행복을 누리려면 영혼이 활동해 사랑의 에너지를 받아야 한다. 인간은 영혼을 소유함으로써 누구나 동일한 양심과 이성理性을 가져 무엇을 어떻게 해야 하는지를 안다. 창조주의 뜻에 일치하는 일을 해야 함을 안다. 양심과 이성이 하라는 대로 살아가면 된다.

8

삶의 현상

인간의 삶의 목적은 기쁨과 행복을 누리는 것이다

인간은 창조주의 뜻에 일치하는 일을 하면 사랑의 에너지를 되돌려 받는다. 되돌려 받는 사랑의 에너지 양이 많을수록 생성되고 번성하여 건강과 젊음, 기쁨과 행복, 번영과 성공을 누린다. 건강과 젊음, 기쁨과 행복, 번영과 성공은 모두 사랑의 피드백이다. 인간의 삶의 목적은 기쁨과 행복을 누리는 것이다. 건강과 젊음, 기쁨과 행복은 인간이 삶의 목적을 달성할 때 보상으로 받는 창조주가 주는 사랑이며 은총이다.

영원한 행복은 영혼이 창조주와 함께 영원한 삶을 누리는 영생을 얻는 것이다. 사랑의 에너지를 많이 되돌려 받을수록 기쁨과 행복이 커진다. 눈높이를 낮추어 욕심을 버리고 천성의 마음으로 바꾸기만 하면 사랑의 에너지를 무한정 받을 수 있다. 경락이 열려 사랑의 에너지를 받을 수 있기 때문이다.

창조주는 사랑 자체이며 공평하므로 어떤 영혼에게도 특별히 많은 복을 몰아주지 않으며 편애하지 않는다. 어떤 영혼도 미워하지 않으며 평가하지도 않고 벌을 주지도 않는다. 햇볕이나 물은 모든 생명체에게 동일하게 사랑을 베풀어 원하는 대로 제공된다. 인간이 받기를 원하기만 하면 받는다. 그러나 대가를 바라지도 않고 대가가 없다고 원망하지도 않는다. 창조주의 사랑도 햇볕이나 물처럼 제공되기만 한다. 인간이라면 누구나 동일하게 영생을 함께 누리기 위하여 창조주 자신이 선발하여 지구라는 사랑의 교육장에 입소시킨 영혼들이기 때문이다. 창조주가 아끼고 선택한 당신의 아들딸 들이다. 다만 사랑의 실천 방법이 다르며 방법도 각자의 영혼이 결정하기에 차이가 날 뿐이다.

창조주는 강요하거나 간섭하거나 심판하지 않는다. 언제나 자기 몸속의 영혼이 자신의 양심으로 판단하고 심판하고 양기의 순도에 일치하는 차원에 스스로 머문다. 따라서 삶에서 자기희생이 크고 어렵고 힘들수록 각성의 기회가 많아진다. 자기희생이 크고 힘든 일일수록 큰 일이 되어 사랑의 실적이 올라 간다. 인성의 마음인 욕심을 버리고 나누고 베푸는 마음, 사랑 의 마음인 천성의 마음으로 되돌아오기만 하면 모든 것은 자기 의 뜻대로 이루어진다. 일체유심조一切唯心造이다. 영혼이 활동 하면 경락이 열려 사랑의 에너지를 원하는 대로 받을 수 있기 때문이다.

기운이 없고 체력이 모자라 일을 할 수 없다는 생각은 핑계 에 지나지 않는다. 마음을 천성의 마음으로 바꾸어 체력이 감 당할 수 있는 일을 하면 된다. 인간은 수저만 들 수 있는 기운 만 있어도 사랑을 실천할 수 있다. 얻어먹을 수 있는 힘조차 없 는 사람들일지라도 서로 돕고 협력하면 얼마든지 행복을 누릴 수 있다. 배운 기술이 없더라도 힘들지 않는 작은 일이라도 할 수 있는 일은 대단히 많다. 작은 봉사활동이라도 경락을 열어 주어 사랑의 에너지를 받을 수 있다. 사랑의 에너지를 받으면 체력이 스스로 생성되며 증가한다. 체면을 차리지 않고 마음만 사랑의 마음으로 바꾸면 세상에 할 일은 널려 있다. 집안의 작 은 일부터 이웃과 사회, 자연에는 돌보고 보살펴야 할 일은 얼 마든지 있다.

충청북도 음성군 금왕읍에서 부잣집 아들로 태어난 최귀동 할아버지는 일제 징용에 끌려갔다가 돌아왔으나 집안은 몰락해 있었고 몸은 병들어 무극천 다리 밑에 거적을 치고 사는 걸인이 되었다. 그 후 40년 동안 남의 밥을 얻어다가 자기보다 못한 걸인들을 보살피며 살았다. 오웅진 신부는 1976년 최귀동 할아버지와 우연한 만남을 통해 '얻어먹을 수 있는 힘만 있어도 그것은 주님의 은총'임을 깨달아 '의지할 곳 없고 얻어먹을 수 있는 힘조차 없는' 분들을 위한 꽃동네를 시작해 오늘의 세계적인 꽃동네를 이루게 되었다. 필자도 1997년도에 어려운 상태에 빠져 있을 때 꽃동네 봉사로 삶이 전환되는 계기가 되었다. 지금은 방글라데시 꽃동네를 운영하며 방글라데시의 테레사 수녀 역할을 하고 있는 박타대오 수녀의 삶을 알고 싶어 꽃동네병원 치과에서 봉사를 하고 있다. 박 수녀는 치과대학을 졸업하고 치과의사가 된 다음에 수녀가 되었다. 여름휴가를 꽃동네에서 지내며 봉사하는 동안 오웅진 신부님도 만나 사랑을 배우고 알게 되는 계기가 되고 삶의 목표를 확실하게 세울 수 있었다.

불행하다고 생각하는 사람의 눈에는 다른 사람의 행복만 보인다. 행복하다고 생각하는 사람의 눈에는 불행이 보이지 않는다. 건강하지 못한 사람의 눈에는 죽음이 보인다. 건강한 사람의 눈에는 죽음이 보이지 않는다. 절벽 끝에 서야 멀리 보인다. 눈높이를 낮추면 행복은 저절로 굴러들어온다.

인간은 얻어먹을 수 있는 힘만 있어도 창조주의 은총을 받은 것이다. 나는 태어날 때부터 과연 얻어먹을 수 있는 힘조차 없는 사람이었나? 내가 자초해 만들지 않았나 생각해 판단해야 한다. 지금까지 생명을 부지하고 살아온 것만 해도 대단하며 감사한 일이다. 누구나 뉘우치고 감사할 수 있으면 행복해질 수 있다. 동일한 영혼을 소유하기 때문이다.

인성의 마음을 천성의 마음으로 바꾸기만 하면 행복은 굴러들어온다. 경락이 열려 사랑의 에너지를 듬뿍 받아들여 순환시키면 생체전기가 된다. 체력이 늘수록 자신감도 생기고 불가능한 일이 가능하게 바뀌는 능력이 생긴다. 영혼은 나이를 먹지도 않고 변하지도 않아 능력이 떨어지지 않는다. 인성의 마음을 천성의 마음으로 바꾸어 영혼을 활동하게 하면 누구나 원하는 바를 성취할 수 있는 것이다. 영혼이 활동하면 경락이 열려 사랑의 에너지를 받게 되므로 체력이 스스로 생성된다. 아무리 죄인이라도 창조주는 벌을 주거나 원망을 하지도 않고 수없이 용서하고 다른 인간과 동일하게 사랑으로 대해준다. 창조주는 사랑 자체이며 진·선·미 자체이기 때문이다. 개과천선하고 천성의 마음으로 되돌아오기만 하면 사랑의 에너지를 무한정 받을 수 있다. 인간은 자신을 포기함으로써 생을 마감하게 된다.

육신은 영혼이 걸친 겉옷에 지나지 않는다. 육신에 장애가 있더라도 영혼의 능력은 동일하며 온전하다. 아무리 심각한 장애인이라도 양심과 이성은 정상인과 하나도 다르지 않다. 현재 몸 상태가 어떠하든 누구나 마음만 천성의 마음으로 바꾸어 감사하며 눈높이만 낮추면 영혼이 활동해 사랑의 에너지를 받는다. 영혼이 활동하는 한 인간은 죽지 않고 행복을 누릴 수 있다. 영혼의 능력은 무한하며 동일하기 때문이다. 파란만장한 삶을 살아오다 죽음에 이를 정도로 건강이 악화된 사람이라도 마음을 천성의 마음으로 바꾸면서 고난을 극복해 건강을 누리며 새 삶을 사는 사람도 많고 나이 든 후에 노익장을 누리는 사람도 많다.

건강과 젊음, 기쁨과 행복은 사랑을 실천하는 일을 해 실적을 올렸을 때 창조주가 주는 보상이며 은총이다. 기쁨과 행복은 사랑의 피드백이다. 사랑을 베풀고 사랑의 에너지를 받을 수 있는 능력은 모든 영혼이 동일하다. 기쁨과 행복을 누릴 수 있는 능력은 동일하다. 행복을 누릴 수 없는 영혼은 없다. 행복하기 위하여 지상으로 태어났기 때문이다. 영혼은 나이를 먹지 않고 능력이 떨어지지도 않으므로 노인이 되어도 마음만 제대로 먹으면 사랑의 에너지를 받는다. 사랑의 에너지를 받아 체력을 키우면 사랑의 에너지를 되돌려 받는 새로운 삶을 살아갈 수 있어 노익장老益壯을 누릴 수 있는 것이다.

인성의 마음을 비우고 순수하게 해 천성의 마음으로 바꾸기만 하면 사랑의 에너지를 무한으로 받을 수 있어 행복이 저절로 굴러들어온다. 소유를 늘릴수록 욕심이 발동하여 경락이 닫히므로 경락이 열리는 삶을 살아가야 한다. 소유가 늘어나는 만큼 근심 걱정도 늘어나는 것이다. 욕심을 버리고 마음을 비우는 삶을 살아야 한다. 양심과 이성이 하라는 대로 하면 된다.

내려놓는 데서 인생의 완성이 이루어진다. 마음은 비우면 비울수록 사랑의 에너지로 채워지고 영혼의 양기의 순도도 높아진다. 오직 기쁨과 행복을 추구하는 삶을 살아야 한다. 인간은 바른 마음과 자세로 바르게 살아가야 한다. 양심과 이성이 작동되는 삶을 살아가면 된다.

인간은 누구나 자기가 해야 할 일의 몫이 있고 목표를 갖고 태어난다. 누구나 건강과 젊음, 기쁨과 행복을 누릴 수 있는 권리를 받고 태어난다. 사랑을 배우고 실천할 수 있는 권리도 있으나 의무도 있다. 의무를 다해야 기쁨과 행복을 누린다. 인간은 서로 사랑하고 나누고 베풀고 도와 모두 함께 창조주와 한 몸이 될 수 있는 존재이다. 그러므로 자기의 적성에 맞고 좋아하며, 남을 위하여 누구보다 가장 잘할 수 있는 일을 해야 한다. 그래야 힘 들이지 않고 보람을 느끼며 일에 집중할 수 있어 경락이 열리고 사랑의 에너지를 받기가 쉬워지고 성공률이 높아진다. 한 우물을 파지 않고 욕심을 내어 이것저것 해보려 하고 결국 자신에게 중요하지 않는 일들을 지나치게 열심히 하므로 후회하는 삶을 살게 된다. 보수를 우선으로 하지 않고 자신이 가장 좋아하고 잘할 수 있는 일을 하는 데 초점을 맞추어야 한다. 보수를 받지 않고도 즐겁게 할 수 있는 일이 있다면 그 일이 적성에 맞는 일이다.

인간이 살아가는 데 필요하고 중요한 일은 20%에 지나지 않고 나머지 80%는 중요하지 않은 일이라 한다. 그런데 인간은 중요하지 않은 80% 일에 80%의 시간을 소모하므로 성공률이 떨어진다고 한다. 중요한 20% 일에 80%의 시간을 소모하면 성공으로 이어진다. 같은 일을 해도 일을 잘하는 사람은 20%에 지나지 않는다고 한다. 성공률도 20%에 지나지 않는다. 부를 누리는 것도 20% 사람이 80%의 부를 소유하고 80% 사람이 전체의 20%를 나눈다고 한다.

스티브 잡스는 이런 메시지를 남겼다.

"진정으로 만족하는 유일한 길은 당신이 위대한 일이라고 믿는 일을 하는 것이다. 위대한 일을 하는 유일한 길은 당신이 사랑하는 일을 하는 것이다. 사랑하는 사람을 찾듯이 사랑하는 일을 찾아라. 살다보니 돈은 중요하지 않더라. 오늘이 인생의 마지막 날이라면 지금 하려는 일을 할 것인가? 며칠 계속 아니

라는 답이 나오면 변화가 필요하다. 매일 밤 잠자리에 들 때 '오늘 정말 멋진 일을 했다'고 말할 수 있는 것이 중요하다. 언젠가는 죽는다는 사실을 기억하라. 그럼 당신은 정말로 잃을 게 없다."

과학의 발달로 풍요로워져 물질 만능의 시대로 바뀜에 따라 직종에 따라 보수와 삶의 질도 달라진다. 나보다 더 호화롭게 잘사는 사람만 눈에 보인다. 누구나 땀 덜 흘리고 높은 보수를 받는 일에만 종사하려 하므로 문제가 된다. 부모는 자식을 자기가 원하는 방향으로 유도하려 하고 이를 따라가지 못하는 자녀는 일자리를 못 찾아 삶을 헛되이 보내고 있는 젊은이로 내몰리고 있는 게 현실이다.

세상에 할 일은 사람 수 만큼이나 많다. 체면을 차리지 않고 눈높이를 달리 하면 할 일은 널려 있다. 이 땅에서 희망이 이루어지지 못해 자살하는 사람도 있고 이 땅을 희망의 나라로 생각해 희망을 이루려 하는 사람도 많다. 또한 희망을 이룰 수 있다는 땅으로 옮겨가는 사람도 있다. 눈높이를 낮추는 사람이 성공으로 이어진다.

인간들이 하기 싫어하는 일은 널려 있지만 일에는 귀천이 없다. 남이 하지 않으려는 일을 할 때 오히려 사랑의 실적이 크게 오른다. 바른 마음과 자세로 하늘의 뜻에 순응하며 순리대로 살아갈 때 누구나 삶의 목표에 도달한다. 학문을 통하여 깨달음을 얻는 사람보다 하늘의 뜻에 순응하며 소박하게 살아가는 사람에게서 깨달음의 깊이가 큰 경우는 허다하다.

깨달음이란 창조주의 뜻을 아는 것이며 창조주가 사랑의 에너지를 운행하는 원리인 사랑의 법칙과 자연법칙 인과법칙을 아는 정도이다. 영생을 얻는 것은 성적순이 아니며 사랑의 실적에서 자기의 목표량을 채우면 된다. 채우지 못하면 오랜 세월 기다려 사랑의 교육장에 다시 태어나 재수해야 한다.

다른 영혼과 경쟁도 아니며 자기 자신의 영혼을 닦고 자라게 하는 일이므로 스스로 열심히 하면 이루어진다. 창조주의 뜻에 일치하는 일을 열심히 해 사랑의 에너지를 되돌려 받을수록 건강과 젊음, 기쁨과 행복을 누린다. 되돌려 받는 사랑의 에너지라야 영혼이 자라고 양기의 순도를 높인다. 영혼이 활동해 양심과 이성으로 살아가기만 하면 된다.

욕심을 버리고 마음을 비워 인성의 마음을 천성의 마음으로 바꾸기만 하면 된다. 영화스러웠던 과거에 집착하지 않아야 한다. 지나간 버스를 타지 못함을 후회하거나 되풀이 생각하지 않아야 한다. 남의 눈치 보지 말고 보람을 느끼며 내가 정말로 하고 싶은 일을 하며 살아야 한다. 하는 일이 즐거우면 행복은 보장된다. 내가 행복해야 세상도 행복하고 내가 세상을 행복하게 만들 수 있다. 다른 사람을 불행하게 하면 안 된다. 다른 사람에게 피해를 주는 일은 하지 않아야 한다. 쓰레기도 내가 먼저 치우면 세상이 밝아지고 아름다워진다. 누구처럼 되기 위해 살지 않아야 한다. 양심과 이성이 하라는 대로 하면 된다. 하나밖에 없는 오직 내가 되어야 하므로 자신을 먼저 사랑해 자존감과 자신감을 키워야 한다. 자신을 귀하게 생각하면 불행과 멀어지며 행복과 가까워진다. 죽을 때까지 감사하며 살아가는 사람은 천국으로 간다. 감사하게 생각하면 경락이 열려 사랑의 에너지를 받을 수 있기 때문이다.

인간은 사랑을 통해서만 삶의 목표를 달성한다

인간, 사랑, 일, 에너지, 창조주는 서로 떼어내려 해도 떨어지지 않는 한 덩어리이다. 인간이 창조주 몸체의 일부이기 때문이다. 천天 · 지地 · 인人, 진眞 · 선善 · 미美, 지智 · 덕德 · 체體, 정精 · 기氣 · 신神 모든 것의 중심에는 창조주가 있다. 각각을 이어주는 끈 역할은 사랑의 에너지이다. 사랑으로 다가가면 어느 것이나 모두 이룰 수 있다. 사랑은 먼저 나누고 베풀어야 사랑의 에너지로 되돌아온다. 영혼이 활동해 사랑의 에너지를 받을 수 있어야 한다. 인간은 창조주의 뜻에 일치하는 삶을 살아야 사랑의 에너지를 받아 건강과 젊음, 기쁨과 행복을 누린다.

인간은 창조주의 뜻에 일치를 이루며 살아가야 하는 운명의 존재이다. 영혼을 소유한 창조주의 분신이기 때문이다. 창조주는 사랑의 에너지를 통하여 우주 만물과 모든 생명체와 인간의 생로병사를 주관하고 통섭한다. 인간은 사랑을 통해서만 삶의 목표를 달성한다. 사랑을 배우고 실천하는 일을 하여 사랑의 에너지를 되돌려 받을수록 행복을 누리며 영생과 가까워진다.

인간은 언제나 바른 마음과 자세로 바른 삶을 살아야 한다. 바른 마음이라야 영혼이 활동하고 이성이 작동되어 바른 일을 한다. 자세가 바르지 못하면 체형의 변형이 오며 사랑의 에너지가 순환되지 못해 질병으로 이어지며, 일을 하지 못하게 되면서 사랑의 에너지를 되돌려 받지 못해 소멸의 길을 간다.

척주가 잘 보존되어야 뇌가 내린 명령이 신경을 통하여 하달된다. 척주의 변형이나 척주관협착증이 온다면 뇌의 명령이 제대로 하달되지 못한다. 뇌세포가 많이 죽으면 뇌 자체가 명령을 만들지 못한다. 명령이 하부 조직에 전달되지 못하면 사랑의 에너지도 공급되지 못해 위축과 소멸로 이어져 퇴행성질환이 된다.

인간은 창조주의 뜻에 일치하는 일을 하기 위하여 태어나고 할 일이 없으면 이생을 마감해야 한다. 작은 일이라도 지금 할 수 있는 일을 하면 된다. 부지런히 일을 하며 몸을 움직이며 살아가면 건강과 장수를 누린다. 자기는 일을 하지 않고 하인만 부리며 살아가면 노후에는 하인의 품속에서 죽어야 한다. 인과응보인 것이다.

인간은 양심과 이성이 하라는 대로 살아야 한다

창조주의 분신인 영혼은 양심과 이성을 소유한다. 지구촌 인간이라면 누구나 창조주의 분신이므로 동일한 양심과 이성을 갖는다. 남은 속일 수 있지만 자기 자신의 양심과 이성은 속이지 못한다. 양심은 영혼의 마음이며 하늘마음으로 창조주의 마음이다. 욕심을 버리고 사랑을 나누고 베푸는 마음이며 양심이 발동하면 영혼이 활동해 경락이 열린다.

인간은 인성의 마음인 욕심이 발동하면 양심이 발동하지 못하고 양심이 발동하면 욕심이 발동하지 못한다. 양심이 발동하면 영혼이 활동하여 경락을 열어 사랑의 에너지를 받는다. 양심대로 살면 천성의 삶을 사는 것이다. 인간은 누구나 이성을 소유하므로 해야 할 일이 무엇인지를 안다. 따라서 인간은 양심과 이성이 하라는 대로 살아가면 영혼이 활동해 경락을 열어주므로 사랑의 에너지를 마음대로 이용할 수 있고 삶의 목표에 도달할 수 있다.

인간은 깨달음을 얻기 위하여 살아간다

깨달음이란 창조주가 사랑의 에너지를 운행하는 원리인 사랑의 법칙을 아는 정도이다. 언제나 되돌려 받는 사랑의 에너지에 상응하는 깨달음을 얻는다. 사랑의 법칙은 자연법칙이며 인과법칙이다. 따라서 깨달음을 얻음이 삶의 목표가 되어야 한다. 결코 부귀와 영화를 누리는 것이 아니다.

우주 만물은 사랑의 에너지로 이루어지므로 깨달음의 분야와 관계없이 깨달음은 동일하다. 깨달음을 얻으려면 이웃을 통해 사랑의 실적이 올라가야 한다. 영생을 함께 할 영혼들이 모여 사는 사회이기 때문이다.

인간은 누구나 살아가면서 사랑을 실천한 실적에 따라 나름대로 깨달음을 얻는다. 이생의 삶은 깨우치는 기간이며 깨달음의 정도에 일치하는 것이 저 생의 삶이다. 사랑의 에너지를 받을수록 영혼이 자라고 성숙하여 사랑과 양기의 순도가 높아져 창조주와 일치를 이루면 영생을 누린다. 사랑의 에너지를 많이 되돌려 받을수록 행복을 누리고, 지상에서 행복을 누린 자만이 영원한 행복인 영생으로 이어진다.

　체력이 떨어지면 일을 할 수 없으므로 사랑의 에너지를 되돌려 받지 못한다. 반드시 사랑의 실적이 따라야 하며 실적에 해당하는 만큼 깨달음을 얻어야 도가 트인다. 실제로 땀 흘리며 몸으로 경험한 삶의 실적이 깨달음으로 이어진다. 힘들고 고통이 따르는 자기희생이 따라야 깨달음도 커진다. 파란만장한 삶을 살아감도 다 의미가 있는 것이다. 의미가 없는 삶은 없다. 이생의 삶의 결말이 저 생으로 이어지는 것이다. 머리로 한 경험이나 말로만의 삶은 깨달음으로 이어지지 못한다. 반드시 영혼이 활동해 양심과 이성이 작동함으로써 창조주의 뜻에 일치하는 일을 하여 되돌려 받는 사랑의 에너지라야 영혼이 자라고 성숙하며 양기의 순도 차원을 높이기 때문이다.

바른 마음과 자세로 바른 삶을 살아야 한다

　인간은 언제나 바른 마음과 자세로 바른 삶을 살아야 한다. '바르다' 는 곧고 올바르며 하늘과 가깝고 창조주의 뜻에 일치한다는 의미이다. 언제나 내가 하고 있는 일이나 생각이 나의 양심과 창조주의 뜻에 일치하느냐 여부를 생각하는 습관을 들이는 것이 좋다. 창조주의 뜻에 일치하는 바른 마음이나 삶은 경락을 열어 사랑의 에너지를 받는다. 바른 자세는 기 순환을 잘 되게 한다. 바른 삶은 영혼이 영생을 얻게 한다. 바르지 않는 마음과 그릇된 자세는 기 순환을 막는다.

몸이 바르지 않고 구부러지면 사랑의 에너지를 제대로 운행하지 못한다. 체형에 변형이 오면 사랑의 에너지 순환이 제대로 되지 못해 질병으로 이어지고 사랑의 실천과 멀어지게 되어 소멸의 길을 간다. 신경의 기능이 제대로 이루어질 수 있어야 기도 순조로이 운행될 수 있다. 신경神經은 마음이 다니는 길이며 사랑의 에너지가 다니는 길은 경락經絡이다.

신경은 뇌의 명령을 전달하는 통신선이므로 신경에 염증이 오거나 압박을 받거나 마비가 오면 그 신경이 지배하는 영역으로는 뇌의 명령이 제대로 전달되지 못한다. 생체전기나 사랑의 에너지는 하단전에 저장되었다가 마음이 하라는 대로 하는데 생체전기로 경락을 통하여 전달된다. 마음이 명령을 내리면 뇌가 뇌신경을 통하여 명령을 전달하고 신경을 통하여 하달되는데 신경에 문제가 생기면 명령이 전달되지 못하므로 사랑의 에너지의 공급도 어려워진다. 기도 마음을 따라가므로 신경을 통하여 마음이 전달되지 못하면 기도 전달되지 못한다. 바르지 않은 삶을 살면 사랑의 에너지를 받지 못해 파란만장한 소멸의 삶을 살게 된다. 바른 마음과 자세를 유지하면 사랑의 에너지의 순환이 잘 되어 장수를 누린다.

등이 굽지 않고 어깨가 쪼그라들지 않고 체형의 변화가 없이 자세가 곧바른 사람은 나이 들어도 건강하고 장수한다. 무엇보다 척추의 변형이 없어야 하고 뼈와 뼈 사이의 디스크가 잘 유지되어야 한다. 어깨, 고관절, 무릎관절도 마찬가지로 변형이 오지 않아야 한다. 언제나 어깨를 펴고 키를 늘여 상단전과 하단전 간의 거리를 늘이려는 자세는 척추 디스크를 보호하고 기 순환을 잘 되게 한다.

인간은 몸과 마음과 정신이 하늘과 가까워질 때 사랑의 에너지를 받는다. 팔도 다리도 가끔 하늘과 가까운 자세를 해 주어야 한다. 양팔을 들어 귀에 닿도록 하여 뻗친다. 바로 누워서 머리, 팔, 다리를 드는 운동도 좋다. 한 무릎을 잡고 다른 다리를 드는 운동도 좋다. 힘이 들면 손과 발을 흔들어 준다. 누워서 호식을 유지하며 손과 발을 들어 흔들어주는 운동은 기 순환을 촉진하며 체력을 키우고 중심을 강화하는 데 탁월한 효과가 있다. 허리, 목, 어깨, 무릎, 고관절에 사랑의 에너지의 공급이 집중되는 운동이다.

'움직인다', '운동한다'는 마음과 함께 사랑의 에너지를 공급한다는 의미이다. 등이 구부러지면 척주관협착증이 오고 그 정도에 따라 뇌의 명령이 전달되지 못해 사랑의 에너지의 공급에도 차질이 오므로 퇴행성 변화가 오고 걸음걸이와 삶이 불안해진다. 언제나 정신을 차려 체형이 변형되지 않도록 바른 자세를 유지해야 한다. 또한 뇌세포가 죽으면 해당되는 기능은 하지 못하므로 뇌세포가 죽지 않도록 어려서부터 경락이 열리는 삶을 살아야 한다. 솔직하고 순진하고 천진난만한 마음을 나이 들어서도 유지해야 한다. 순수한 하늘마음이라야 영혼이 활동해 경락이 열려 사랑의 에너지를 받을 수 있기 때문이다. 장애인이라 하더라도 '호호 기 순환 운동법'에서 가능한 동작을 되풀이함으로써 원하는 시간 동안 무산소운동이 가능하다. 또한 변형된 체형을 바로잡거나 척주관협착증 치료에도 탁월한 효과가 있다. 지적장애인이라도 대부분 마음이 순수하므로 마음을 열고 운동을 하면 정상인 못지않은 효과를 볼 수 있다.

인간은 직립보행을 하며 살아가므로 항상 키를 늘여 척주 뼈와 뼈 사이의 간격을 충분히 유지할 수 있을 때 체형이 유지되며 신경이 보호되고 기혈순환이 잘 되어 장수를 누린다. 고관절이나 무릎관절도 다리와 발의 자세를 바로 하여 하중이 바르게 전달되도록 해야 연골이 보호된다. 바른 자세로 걷는 것이 무엇보다 중요하다. 체형이나 디스크의 변형은 척추신경을 압박하여 기 순환을 못하게 하므로 퇴행성 질환과 노화로 이어진다. 항상 바른 마음·자세·삶을 살아가야 한다. 삶이 흐트러지지 않고 창조주의 뜻에 일치하는 삶을 살아가면 장수를 누린다.

인간은 선하고 바르게 살아야 한다

인간은 창조주의 분신인 영혼을 소유함으로써 양심과 이성을 갖는다. 양심은 선한 일을 하고 악한 일은 하지 않는 마음이다. 양심은 순수한 하늘마음으로 영혼의 마음이며 창조주의 마음이다. 창조주는 사랑이며 진·선·미 자체이므로 영혼을 소유한 인간은 창조주의 뜻에 일치하는 삶을 살아야 한다. 사랑과 진·선·미를 추구하는 삶이다. 인간은 누구나 영혼을 소유하고 양심과 이성을 가져 해야 할 일과 하지 말아야 하는 일을 안다. 해야 할 일은 창조주의 뜻에 일치하는 일이며 하지 말아야 할 일은 어긋나는 일이다.

인간은 지구촌 어디에 살든 선하고 바르게 살라고 가르치고 배운다. 모든 종교의 가르침도 사랑이며 선하고 바르게 사는 것이다. 인간은 선하고 바른 삶으로만 창조주의 뜻을 따를 수 있다. 인간의 죽음에 대한 준비는 오직 하나다. 바로 참 되고 선한 삶을 사는 것이다. 선하고 바르다는 의미는 창조주의 뜻에 일치한다는 의미이다. 창조주의 뜻에 일치하지 않으면 악이며 죄를 짓는 일이다. 창조주가 사랑이며 진·선·미 자체이기 때문이다. 인간이 사랑을 실천하여 깨달음이 깊어질수록 영혼은 양기의 순도 차원이 높아진다. 천성의 수준으로 되면 창조주와 한 몸이 되어 영생을 누린다. 죄와 벌의 대가가 아니라 자연법칙이나 사랑의 법칙, 인과법칙에 따르는 자연 현상인 것이다.

하루 착한 일을 한다고 해서 금방 복을 받는 것은 아니지만 화禍는 스스로 멀어진다. 하루 나쁜 일을 한다고 해서 금방 화를 입는 것은 아니지만 복은 스스로 멀어진다. 착한 일을 하는 사람은 봄날에 들풀과 같아서 그 자라는 것이 눈에 보이는 것은 아니지만 나날이 자라는 바 있으나, 나쁜 일을 하는 사람은 칼 가는 숫돌과 같아서 그 닳아가는 것이 눈에 보이는 것은 아니지만 사실은 나날이 닳고 있는 것이다. 남을 좋은 쪽으로 이끄는 사람은 사다리와 같다. 자신의 두 발은 땅에 있지만 머리는 벌써 높은 곳에 있다. 명심보감에 있는 말이다.

사랑은 주는 것이다. 받는 기쁨은 짧고 주는 기쁨은 길다. 늘 기쁘게 사는 사람은 주는 기쁨을 가진 사람이다. 주는 데 인색

하지 마라, 되로 주면 말로 되돌아온다. 내가 남한테 주는 것은 언젠가 내게 다시 돌아온다. 그러나 내가 남한테 던지는 것은 내게 다시 돌아오지 않는다. 사랑은 나눌수록 커지고 샘물과 같은 우리의 마음은 퍼낸 만큼 고이게 마련이고 행복으로, 기쁨으로 더 크게 우리에게 다시 돌아온다.

사랑의 에너지를 받으려면 사랑을 실천하는 일을 해야 하므로 사랑의 실적이 올라가면 사랑의 에너지를 되돌려 받아 양기의 순도 차원이 높아져 양심良心이 양신陽神으로 변화하는 것이 가능해진다. 도만 닦는다고 이루어지지 않는다. 체력을 키워 일을 하고 일을 한 실적만큼 사랑의 에너지를 되돌려 받는다. 일을 하는 데 소모한 체력에 해당하는 만큼 사랑의 에너지를 되돌려 받는다. 인간은 누구나 이생을 살아가며 이루어놓은 일로 인하여 나름대로 깨달음을 얻고 저 생으로 되돌아간다. 되돌려 받는 사랑의 에너지에 상응하는 깨달음을 얻고 양기의 순도가 높아지고 그에 합당한 행복을 누린다. 되돌려 받는 사랑의 에너지라야 영혼이 자라고 성숙하며 사랑과 양기의 순도 차원을 높인다. 우주 만사가 모두 사랑의 에너지로 이루어지기 때문이다. 사랑의 에너지를 받으면 생성과 성장으로 이어지고 받지 못하면 소멸로 이어지는 사랑의 법칙에 따르는 자연현상인 것이다.

이웃을 내 몸같이 사랑해야 한다

지상에 태어난 인간은 누구나 영생을 함께할 영혼들이며 동창생이거나 선후배 사이인 이웃이다. 사랑을 배우거나 실천하는 일을 하여 사랑의 실적을 올려 영혼이 양기의 순도를 높이는 것이 삶의 목적이다. 이생의 삶은 홀로 살아갈 수 있는 삶이 아니다. 이웃과 함께 서로 돕고 나누고 베풀며 살아가야 한다. 이웃은 경쟁의 대상이 아니며 서로 돕고 나누고 베풀고 협력하며 상생해야 할 대상이다. 서로 나누고 베푸는 삶을 살아야 사랑의 실적을 얻기가 수월해진다. 백지장도 마주잡듯이 어려운 일이라도 서로 협력하여 도우면 사랑의 실적을 크게 올릴 수 있다. 혼자의 힘으로 가능하지 않던 일도 성취할 수 있다.

이웃은 사랑을 실천할 수 있는 대상이며 함께 영생을 누릴 존재이므로 이웃을 내 몸같이 사랑해야 한다. 자아의 실현은 이웃을 통하여 이루어진다. 이웃이 없으면 사랑의 실적을 얻기 어렵다. 가장 가까운 이웃은 부모 형제이며 가족이다. 이들 간에 화목이 없다면 이웃 사랑의 의미도 없어진다. 화목하고 서로 돕고 사랑을 나누고 베풀수록 번창하는 가정이나 기업이나 단체나 국가가 된다. 모든 가정이 평화로워지면 나라도 평안해진다.

인생은 정녕 노동이 아니며 고역도 아니다. 사는 것이 좀 고생스럽다 해서 인생이 또 짐스러운 것도 아니다. 사랑하는 아내와 자녀를 위해서 직장에서 땀 흘려 일하는 것이 노동이 아니며 병든 어머니의 대소변을 받아낸다 해서 고역도 아니다. 노동이면서 노동을 뛰어넘는 축복이며 고역이면서 그 고역을 초월하는 은혜인 것이다. 우리는 결코 세상이 노동이 아니라는 사실을 깨달아 우리 앞에 펼쳐진 365일의 이 은혜로운 시간을 축복으로 받아들여야 한다. 그렇게만 한다면 세상이 바로 천국이지만 은혜로 받아들이지 못하면 세상은 지옥이 되고 만다. 고난의 아픔을 체험하지 않고는 인간은 아무도 자신의 산을 넘지 못하는 한계에 부닥치게 된다. 자기 자신과 치열하게 싸우는 피눈물 나는 전쟁이 그래서 필요한 것이다. 십자가가 은혜인 까닭도 바로 여기에 있다. 창조주는 아무런 뜻도 없이 인간에게 아픔을 허락하지 않는다. 이를 테면 산을 오를 수 있는 발판을 주는 것이다.

강길웅 신부의 강론다. 창조주와 한 몸이 될 영혼을 돌보아 주는 행위가 진정한 사랑의 실천이다.

인종차별이나 왕따라든가 학교 폭력은 있을 수 없는 현상이다. 영생을 함께할 영혼을 괴롭히면 결코 용서할 수 없다. 원망을 하거나 신세를 한탄하거나 다른 영혼을 저주해도 마찬가지이다. 반드시 자기의 영혼이 더 큰 대가를 치른다. 용서는 용서 받는 사람을 위한 행위가 아니라 자기 자신을 위하는 행위이다. 용서가 없는 삶은 오랫동안 경락을 닫으므로 건강에 심각한 영양을 준다.

용서한다고 옛날처럼 가깝게 지내라는 의미가 아니다. 용서는 잘못을 한 사람에게 그의 행동에 대한 책임을 면제해 주는 것이 아니다. 정당성을 인정해 주는 것도 아니다. 그가 저지른 잘못이 큰 잘못이 아니라는 뜻을 전달하는 것도 아니다. 용서는 단지 내 자신이 분노를 포기하고, 잘못에 대한 보상을 받을 권리가 있다는 생각을 버리는 것이다. 잘못한 사람에게 면죄부를 주는 게 아니라 잃어버린 내 마음의 평화를 되찾는 것이다. 리처드 P. 존슨의 말이다. 마음속에 기록해 두지 말고 지워버리고 잊으라는 말이다. 싸우다가도 금방 잊어버리고 다시 친구가 될 수 있는 천진난만한 어린이처럼 되라는 것이다.

사랑하라고 무조건 모두를 사랑하라는 의미는 아니다. 서로 사랑하라는 것이다. 뜻이 맞는 사람들이 모여서 서로 도우며 나누며 협력하며 상생하는 삶을 살라는 것이다. 뜻이 맞지 않는 사람들이라도 입장을 바꾸어 생각하고 이해하고 배려하는 마음은 잃지 않아야 한다. 자기가 옳다고 생각하는 일에도 최소한 1/7(14.3%)은 참이 아닌 것이다. 사람은 누구나 자기의 입장에서 최선을 다하며 살아가므로 그 사람의 입장도 한 번쯤 생각해 주어야 한다. 사랑함으로써 사랑받고 용서함으로써 용서받는다. 잘못도 사랑으로 받아들이면 경락이 열리므로 사랑의 에너지를 받을 수 있어 용서함으로써 용서받는 것이다.

인간의 삶의 목표는 행복을 누리는 것이다. 행복은 나 홀로 누리는 것이 아니다. 이웃과 함께해야 행복도 자라고 커진다. 작은 행복이 큰 행복으로 자란다. 기쁨과 행복은 나눌수록 커지고 슬픔과 고통은 나눌수록 작아진다. 이웃은 경쟁의 대상이 아니며 협력하고 상생하며 서로 사랑해야 할 존재이다. 이웃과 서로 돕고 나누고 베푸는 삶을 살아야 다 함께 행복을 누리고 영생을 누리기 수월해진다.

이웃은 경쟁이 아닌 협력의 대상이며 영생을 함께할 영혼들이다

창조주에게 인간은 가장 아끼는 소중한 자녀들이다. 우리 인간은 대단히 고귀하고 존엄하며 아름답고 위대하다. 부모의 눈에 피눈물이 흐르게 하는 무정한 자식도 부모에겐 소중한 자식이다. 인간은 누구나 영혼이 이웃과 함께 영생을 누리기 위하여 지상에 있는 사랑의 교육장에 입소한 학생이며 이웃이며 선후배 사이거나 동창생들이다. 우리는 누구나 인간 완성을 향해 인격을 도야하고 사랑을 완성하기 위한 존재로 학생인 것이다. 우리나라에서는 전통적으로 죽은 이의 관 위에 '學生○○○之墓'라 쓴다. 교육의 목표는 사랑을 배우고 배운 사랑을 실천하는 일을 해 사랑의 에너지를 되돌려 받아 행복을 누리는 것이다. 영원한 행복은 영혼이 자라고 성숙해 사랑과 양기의 순도 차원을 높여 창조주와 함께 영생을 누리는 것이다.

우리는 자녀가 여럿이라도 다 사랑한다. 하물며 사랑 자체인 창조주가 당신의 분신인 인간 모두를 사랑함은 당연한 이치이다. 자녀들의 행복은 부모가 살아가는 이유이기도 하다. 자녀는 부모의 소유물이 아니며 부모를 따라 배우려 태어난 인생의 직속 후배이다. 자식을 버리는 행위는 인간으로 태어나서 가장 큰 죄를 범하는 것이다. 유기하는 것도 버리는 것이며 지도를 소홀이 하는 것도 버리는 것이다.

창조주는 당신과 한 몸이 될 사랑하는 자녀들이 모두 사랑을 많이 배우고 실천해서 깨달음을 얻어 사랑의 실적을 평가하는 시험에 모두 통과하기를 바란다. 시험에 통과하는 것은 성적순이 아니라 일정한 기준만 넘으면 된다. 평가하는 시험은 창조주가 하지 않고 영혼 스스로 한다. 영혼은 양심과 이성을 소유하므로 남은 속일 수 있어도 자기 자신은 속이지 못한다. 영혼이 활동하지 못해 양심과 이성이 작동하지 못하면 이성을 잃어하지 말아야 할 일을 한다. 이성을 잃어 창조주의 뜻에 어긋나는 일을 하면 죄를 짓는 행위가 되며 사랑의 에너지를 받지 못하여 소멸의 길을 간다.

창조주는 사랑 자체이므로 누구를 시험하거나 평가하지 않고 벌을 주지도 않는다. 인간을 평가하는 것은 언제나 자신의 영혼이다. 영혼이 평가하는 것이 아니라 영혼 스스로 자신의 양기 수준에 맞게 머무르는 자연법칙에 따르는 현상이다. 사랑의 에너지를 받으면 생성되고 받지 못하면 소멸되는 사랑의 법칙과 자연법칙을 따르는 자연현상인 것이다. 지상의 삶의 목적이 영혼의 사랑과 양기의 순도 차원을 높이는 것이다. 양기의 순도를 높이려면 사랑을 실천하는 일을 하여 사랑의 에너지를 되돌려 받아야 한다.

인생길은 외롭고 험난해 나 혼자만 갈 수 있는 길이 아니다. 서로 돕고 화목하고 협력하여 나누고 베풀어 상생하며 이웃을 내 몸같이 생각하며 함께 가야 한다. 가장 가까운 이웃은 가족이다. 가족이 모두 평안하면 나라도 평안해진다. 지구촌의 모든 인간은 이웃이며 사랑의 실적을 얻어 영생을 누리기 위하여 지구상의 사랑의 연수원에 입소한 학생이며 선후배이거나 동창생들이다. 이웃을 내 몸같이 사랑해야 하는 이유이다. 사랑은 모두가 하나가 되는 것이다. 사랑을 통해야 하나가 될 수 있다. 서로 사랑해서 사랑의 에너지를 되돌려 받아 영혼의 양기의 순도를 높여야 한다.

사랑을 배우고 실천하는 일을 할 때 서로 돕고 나누며 베풀어야 모두의 사랑의 실적이 함께 올라간다. 나 홀로 살아가는 것보다 서로 돕고 사랑을 나누며 베풀며 살아갈 때 삶의 목표에 도달하기 수월해진다. 삶의 목표는 기쁨과 행복을 누리는 것이다. 기쁨과 행복도 나눌수록 커진다. 백지장도 맞들면 낫다고 하듯이 힘든 일이라도 서로 도우면 힘들이지 않고 목표에 도달할 수 있다. 작은 힘도 모으면 큰 힘이 된다. 혼자 하여 가능하지 않던 일이 여럿이 협력할수록 수월해지며 사랑의 실적을 크게 올릴 수 있다.

사랑의 실천 실적이 올라가면 사랑의 에너지를 되돌려 받아 기쁨과 행복이 온다. 실적이 오르지 못하면 슬픔과 고통이 온다. 기쁨과 행복은 나눌수록 커지고 슬픔과 고통은 나눌수록 작아진다. 사랑의 실적도 나누고 어려움도 나누어 협력하며 서로 돕고 상생해야 다 함께 행복을 누리고 영생을 누린다.

국민소득이 낮은 나라의 국민행복지수가 높게 나타난다. 서로 돕고 나누며 협력해야 생존을 유지할 수 있기 때문이다. 농

촌에서도 노인들끼리 서로 돕고 나누는 삶을 살아가므로 도시 사람들보다 우울증이 적고 자손만 잘 되면 더 이상 바랄 것이 없다고 말하는 사람들이 많다. 행복을 누린다는 의미이다.

사랑의 실적은 이웃이 없으면 올리기 어렵다. 인격도야는 홀로 살면서 이루어지는 것이 아니다. 다른 사람과의 관계에서 형성된다. 남을 위해 사는 것이 진정으로 자기 자신을 위해 사는 것이다. 산속에 홀로 들어가 도를 닦기는 어렵다. 반드시 되돌려 받는 사랑의 에너지라야 인격도야가 가능하다. 혼자라면 본능적으로 살기 쉽고 시행착오를 계단삼아 올라가야 한다. 다른 사람의 경험을 나누고 이웃과 함께 할 때 인격이라는 것도 빛을 발하게 된다.

모든 것을 서로 나누며 베풀 때 사랑의 실천이 쉽게 이루어진다. 그만큼 사랑의 에너지를 되돌려 받기가 쉬워진다. 사랑의 실천이 이루어져야 사랑의 에너지를 되돌려 받는다. 사랑의 에너지는 쓰면 쓸수록 더 많이 되돌려 받는다. 서로 경쟁적으로 사랑을 베풀고 나눈다면 모두 행복해질 수 있고 함께 영생을 누릴 수 있다. 모두는 사랑을 통해야 하나가 될 수 있다.

창조주는 인간이 원하면 수련 기간을 연장해서라도 깨달음이 깊어져 모두가 사랑의 실적을 평가하는 시험을 통과하기를 바란다. 인간 모두가 기쁨과 행복을 누리기를 바란다. 사랑을 실천한 대가로 받는 보상이 기쁨과 행복이기 때문이다. 삶의 목적을 달성했기에 기쁘고 행복해지는 것이다.

어떤 일을 하고 나서 기쁨과 행복을 느꼈다면 사랑의 실적으로 올라 기록되었다는 의미가 된다. 기쁨과 행복을 서로 나누라는 이유이다. 나 홀로 행복하다고 나 홀로 살아갈 수 있는 세상이 아니다. 이웃과 함께 행복해야 나의 행복도 지속되고 더 커질 수 있다. 무엇보다 다른 이웃에게 피해가 가는 행위는 하지 않아야 한다. 기쁨과 행복을 선사해야 더 큰 행복으로 되돌아오며 커진다. 작은 행복이 자라 큰 행복이 된다. 영생으로 이어진다는 의미이다.

이웃의 행복이 나의 행복이며, 나의 행복이 이웃의 행복이 되어야 한다. 이웃의 행복이 나의 불행이 되면 결코 행복해질 수 없다. 나의 불행이 이웃의 행복이 된다면 영생으로 이어진다. 사랑은 자기희생이 따라야 한다. 자기희생이 없는 사랑은 사랑이 아니다. 자기희생이 크면 클수록 큰일이 되어 사랑의 실적도 그만큼 커진다. 사랑의 마음으로 내가 다가가야 사랑으로 이어진다. 사랑은 언제나 먼저 주어야, 먼저 나누고 베풀어야 사랑으로 되돌아온다. 사랑함으로써 사랑받고 용서함으로써 용서받는 것이다.

인간은 희망이 있어야 살아간다

인간은 희망과 소망과 꿈을 갖고 살아간다. 희망은 어떤 일을 이루고자 하고 얻고자 하는 바람이다. 소망은 바라는 바다. 바라고 얻으려 하는 것은 사랑을 배우거나 실천하는 일을 했을 때 얻는 열매이다. 인간이 삶의 목적을 달성했을 때 얻어지는 열매이다. 삶의 목적은 건강과 젊음, 기쁨과 행복을 누리는 것이다. 영원한 행복은 영혼이 창조주와 함께 영원한 삶을 누리며 영생을 누리는 것이다.

인간은 희망과 소망, 꿈이 없으면 삶의 의미와 영혼의 존재 이유가 없어져 죽은 것이나 마찬가지이다. 삶의 목표를 기대할 수 없기 때문이다. 인간의 삶에서 절망은 자신의 생명을 스스로 포기하게 하기도 한다. 인간의 죽음은 삶을 포기함으로써 이루어진다. 영혼은 창조주의 분신이므로 자신이 스스로 삶을 포기하는 일은 있을 수 없다. 육신은 죽일 수 있지만 영혼은 죽이지 못한다. 육신은 산소나 열로 태워서 공空으로 되돌아가지만 영혼은 태워지지 않는다. 사랑을 실천하는 일을 하여 되돌려 받는 사랑의 에너지로 영혼이 자라고 성숙되며 사랑과 양기의 순도가 높아져 영생으로 이어진다. 창조주의 양기와 가까울수록 영생을 누린다.

사랑을 실천해서 얻는 열매는 사랑, 기쁨, 평화, 행복, 인내, 호의, 선의, 성실, 온유, 절제로 나타난다. 사랑과 어긋나서 얻는 열매는 적개심, 분쟁, 시기, 격분, 이기심, 분열, 분파, 질투, 파괴, 범죄 등으로 나타난다.

희망이란 사랑을 실천한 결과로 얻어지는 결과물이며 열매이다. 일을 하면 대가로 건강과 젊음을 받지만 보수로 돈도 받는다. 돈은 또 다른 사랑을 실천할 수 있는 도구이다. 사랑을 실천할 수 있는 도구인 돈을 모으는 것이 일차적으로 희망이 되고 목표가 될 수 있다. 그러나 돈은 모을수록 욕심을 키운다. 사랑의 실적을 얻으려면 사랑을 실천하는 도구인 돈을 사용해 사랑을 실천해야 한다. 삶의 목적은 사랑을 실천하는 일을 하여 사랑의 에너지를 되돌려 받는 것이며 도구인 돈을 모으는 것이 아니다. 삶의 목적은 행복을 누리는 것이며 돈이 아니다.

사랑의 실천 도구를 목표로 하여 목표를 따라가다가 욕심의 노예가 되면 이성이 작동하지 못해 희망을 잃게 된다. 가장 큰 열매는 행복을 누리며 영혼이 영원한 행복을 얻어 영생을 누리는 것이다. 그러므로 인간은 희망과 소망이 있어야 살아간다. 막연히 부귀와 영화를 누리고 즐기기 위하여 살아가는 것이 아니다. 부귀와 영화는 행복이 될 수 없다. 욕심을 키우고 사랑의 실천 실적과는 멀어지기 쉽기 때문이다. 인간이 욕심의 노예가 되면 이성을 잃게 되므로 결코 행복해질 수가 없고 삶 자체가 지옥이 된다.

희망과 소망과 꿈이 없다면 삶의 목표를 상실했다는 의미가 된다. 절망하면 삶을 포기하기도 한다. 인간은 행복하기 위하여 삶을 살아간다. 건강과 젊음, 기쁨과 행복은 인간이 사랑을 실천했을 때 창조주가 주는 보상이며 선물이며 은총이다. 그러므로 돈으로도 살 수 없고 누릴 수 있는 시간을 연장하지도 못한다. 되돌려 받는 사랑의 에너지라야 영혼이 자라고 성숙하며 기쁨과 행복을 준다. 기쁨과 행복은 사랑의 피드백이다.

사랑의 실적은 머리와 마음으로 이룰 수 없으며 반드시 몸으로 땀 흘리며 사랑을 실천하는 일을 해야 이루어진다. 몸을 움직여야 몸이 사랑의 에너지를 받는다. 반드시 고통과 자기희생이 따라야 한다. 고통과 자기희생이 없는 사랑은 사랑이 아니며 기만이거나 위선이다. 자기희생이 크면 클수록 큰일이 된다. 인생은 결코 로또가 아니며 로또 당첨이나 사행성 행위로 거금을 얻었다고 절대로 행복으로 이어지지 않는다. 세상에 공짜는 없다. 인과응보만 있다.

돈을 모았다면 사랑의 실천 도구를 모은 것이므로 사랑을 실천하고 나누는 데 쓸 수 있어야 희망과 소망이 이루어진다. 모으기만 하고 쓰지 못하고 죽는 인간은 가장 불쌍한 인간이다.

사랑을 실천할 수 있는 도구만 모으고 그에 따르는 실적을 얻지 못했기 때문이다. 사랑의 에너지를 되돌려 받지 못해 영생을 잃기 때문이다.

모은 재산을 스스로 사랑의 실천에 쓸 수 없다면 사랑 실천을 전문적으로 하는 단체에 기증하는 방법이 빠르다. 사랑의 실천 도구로 사용될 수 있기 때문에 사랑의 실적으로 올라간다. 천국에 갈 때는 사랑의 실적만 가지고 간다. 인간뿐 아니라 자연과 다른 생명체를 보살피고 돌보는 일을 한 실적이 사랑의 실적이다. 다른 사람을 행복하게 한 만큼 나의 행복으로 되돌아오고 삶의 실적이 된다.

물질 만능의 시대를 살아가며 인간이 사랑을 잊으면 사랑을 실천하는 도구의 노예가 되어 몰락의 길을 간다. 인간이 호화와 사치에 빠지면 몰락한다. 역사적인 사실이 이를 증명한다. 사랑의 실천 능력이 부족한 자녀에게 과분한 돈은 욕심을 더욱 키워 인성의 삶을 살게 하므로 멍에를 지워주는 결과가 되기 쉽다. 돈은 사랑의 실천 도구로서 돌고 돌아야 하고 돌지 못하면 개인뿐 아니라 단체나 나라도 망한다. 재벌의 삶이야말로 가장 어려운 삶이다. 사랑을 베풀고 나눌 때 더 큰 사랑으로 되돌아온다.

순교자들에게는 죽음도 사랑의 실천이므로 기꺼이 맞이한

다. 영생이라는 희망이 이루어지므로 가능하다. 우리의 삶의 목적이 창조주의 뜻을 깨닫고 사랑을 실천하는 것이기 때문이다. 서로 용서하며 서로 돕고 협력하고 사랑을 나누고 베풀어야 상생할 수 있어 모두에게 행복이 온다. 나만이 행복하다고 살 수 있는 세상이 아니다. 우리가 다 같이 행복해야 나의 행복도 오래 지속된다.

부모는 자식을 선택하지 못한다

창조주는 삶의 방식과 목표를 갖고 입소를 신청한 영에게 지도를 가장 잘 해줄 수 있는 적합한 부모를 선택해 준다. 부모가 선택한 것이 아니다. 창조주가 정해준 것이지만 결과적으로 보면 자식이 부모를 선택한 것이다. 부모는 자식을, 자식은 부모를 마음대로 선택하지 못한다. 성체가 되면 모든 생명체의 삶은 부모가 아닌 자신이 책임을 진다. 인간도 마찬가지이다. 부모는 자식의 삶을 대신 살아줄 수 없고 자식의 십자가를 대신 책임지지 못한다. 자기가 택한 삶의 방식이나 장애나 선택된 부모는 원망의 대상이 되지 못한다. 장애인으로 태어나는 사람도 있고 정상으로 태어나도 살아가면서 부상으로 장애를 입는 경우도 많다. 누구나 정신을 차리지 않고 살아가면 장애인이 될 수 있다.

불교에서는 전생의 인과 관계에 따른다고 생각한다. 빚을 받으러 오는 자식도 있고 갚으러 오는 자식도 있다고 한다. 부모가 살아 생전에 많이 베풀면 은덕은 자손에게 이어진다. 많은 은덕을 받고만 살았다면 자손은 고난도의 어려운 삶을 살아야 하므로 인과응보라고 생각한다. 현세現世의 소행은 아뢰야식에 저장되어 다음 생에 응보應報로 나타난다. 육체적으로 행한 신업身業, 말과 먹는 것으로 한 구업口業, 마음으로 생각한 의업意業이 모두 영혼이 갖는 아뢰야식에 저장된다. 고운 마음을 가진 업이 전달되면 다음 생에서 고운 마음을 가진 생이 태어나고 나쁜 마음을 가진 업이 전달되면 나쁜 마음을 가진 생으로 태어나므로 생전에 좋은 업을 쌓아야 한다는 것이다. 부모는 창조주의 은총을 받아야 자식을 얻고 거부하면 받지 못한다.

효도를 해야 하는 이유

우리의 영이 영적 차원의 상승을 위하여 사랑을 배우고 실천하는 묘안을 제시했고, 창조주는 우리에게 가장 적합한 부모를 찾아 선택해 주었다. 우리는 부모의 육신을 빌어 유전 정보를 받고 태어나 사랑을 받으며 성장한다. 부모에게는 고통과 희생이라는 빚을 진다. 자녀와 가정은 사랑을 배우고 실천하기 위하여 선택된 가장 중요한 모델이며 소규모 표준 교육장이다. 그러므로 어느 가정에 태어나느냐는 삶에 지대한 영향을 준다. 한 인간이 공부를 많이 하고 연구 업적을 크게 남겼다 해도 한 자식을 낳고 잘 키우는 것보다 훌륭하기 어렵다. 창조주의 분신인 한 영혼에 대한 대가를 바라지 않는 무조건적인 사랑의 실천 실적이기 때문이다. 여자로 태어났다면 자손을 낳아 잘 키우는 일보다 더 좋은 일은 없다. 어머니의 사랑을 가장 고귀하게 여기는 이유이다.

부모는 자식을 교육시키기 위하여 사랑을 배우고 실천하는 데 모범을 보여 헌신적으로 자기를 희생해 자식을 사랑한다. 자식을 잘 키워 삶에 성공을 이루면 보람과 행복을 느낀다. 자식이 없는 사람은 이웃에게 사랑을 베풀며 실적을 얻는다. 사랑의 실적은 베푼 사람에게 가며 받은 사람에게 가지 않는다. 자식은 자신의 일을 잘함으로써 실적을 올린다. 자식은 부모의 사랑 실적을 가불받는다. 많이 받을수록 빚이며 감점으로 작용한다. 자식을 과잉보호 하고 지나치게 사랑함은 자식의 미래를 망치는 행위가 될 수도 있다.

사랑을 받는 법만 가르치고 주는 법을 가르치지 않으면 안된다. 사랑은 줌으로써 받기 때문이다. 어른이 되는 법을 가르쳐주어야 한다. 자기의 살 길을 스스로 찾게 하고 삶에 책임감을 키워주라는 의미이다. 몸과 마음을 닦게 해 자존감自尊感과 자신감自信感을 키워주고 자신을 사랑하는 법을 가르쳐주어야 한다. 그렇게 해야 다른 사람을 사랑할 수 있고, 위하고 보살필 수 있으며 믿을 수 있게 된다. 체력이 약하고 건강이 좋지 않다면 일을 하지 못하므로 우선 체력을 키워야 한다. 자식을 귀한 공주와 왕자로만 키우면 안 된다. 사랑을 주는 법을 가르치지 않고 받는 연습만 시키면 안 된다. 사랑을 베풀고 기쁨을 누리게 하는 연습을 해야 한다. 사랑은 베풀고 나누어야 사랑의 에너지를 되돌려 받을 수 있기 때문이다. 사랑을 받으면 받을수록 욕심이 더욱 커져 삶의 목표와 멀어지는 삶을 살기 쉽다. 사랑은 주면 줄수록, 베풀면 베풀수록 그만큼 많은 사랑의 에너지를 되돌려 받아 기쁨과 행복으로 이어진다.

자식이 부모에게 받은 은혜를 효도로 갚지 못하면 그만큼 자식은 사랑 실적에 감점을 받는다. 부모는 언제 죽을지 모르므로 자식은 어릴 때부터 부모에게 효도해야 한다. 부모가 살아 있을 때 갚지 못하면 부모가 죽은 후에 후회로 남는다. 자기의 영혼이 영생을 얻는 데 영원한 걸림돌이 되기 때문이다. 인간이 효도를 해야 하는 이유이다.

자식은 부모를 따라 배운다. 자식은 자기의 부모가 부모를 낳은 부모에게 효도하는 것을 보며 효도를 배운다. 부모에게 효도하지 못하고 자식에게 효도를 바라면 안 된다. 부모가 효도를 받으려면 자식에게 효도하는 방법과 필요성을 간접적으로 가르쳐야 한다. 부모가 자기의 부모가 없다면 형제자매나 이웃의 어르신을 모시는 모습을 자식에게 보여주고 이해를 구해야 한다. 어릴 때부터 나누고 베푸는 연습을 시켜야 한다. 사랑을 베풀고 나누는 연습을 시켜야 한다. 효도를 받지 못함도 부모의 책임이며 인과응보이다.

자식이 부모에게 효도함은 자식의 사랑 실적에 포함된다. 은덕을 모르고 살았다면 벌칙을 추가로 받는다. 사랑을 많이 베풀고 효도를 받지 못한 부모는 해당되는 사랑의 실적에 가산점을 받는다. 사랑을 내리사랑이라고 하는 이유이다. 사랑을 베푸는 일은 오른 손이 한 일을 왼손이 모르게 해야 한다. 공치사를 하면 사랑의 실적은 사라져버린다. 평가하는 것은 자기 몸속의 영혼이므로 아무도 모르게 마음 속으로 한 작은 잘못이나 선행도 영혼은 다 알아차리고 상도 주고 벌도 주며 우주컴퓨터에 입력한다. 언제나 나누며 베푸는 사랑이 실적이 있어야 사랑의 실적으로 기록된다. 상으로 사랑의 에너지를 주고 벌로 사랑의 에너지를 주지 않는다. 영혼이 양심과 이성을 소유하기 때문이다. 인간은 남은 속일 수 있어도 자기 자신의 양심은 속이지 못한다. 인간은 누구나 동일한 양심과 이성을 소유함으로 양심과 이성이 하라는 대로 살아가면 영생을 누린다.

장애인의 삶

인간 사회에는 장애를 안고 사는 사람이 많다. 정신적인 장애는 눈에 보이지 않는다. 나이 들어가면서 누구나 육체적이나 정신적인 장애인이 될 수 있고 보호받아야 될 처지에 이른다. 보호받는 삶이나 장애인의 삶은 자기는 고통을 감수하며 다른 사람에게 사랑의 실적을 올려주고 깨우침을 얻게 하는 삶이다. 다른 인간이 받을 수도 있는 고통을 대행하는 삶이다. 장애가 없는 보통 사람들에게 깨달음을 주고 보살피는 사람에게 사랑의 실천 기회를 주어 창조주로부터 은총을 받게 하는 삶이다. 자기를 희생해 다른 사람의 사랑의 실적을 올려주는 삶을 사는 사람이다. 자기를 버림으로써 남(다른 영혼)을 살리는 삶이다. 삶 자체가 고통스럽고 힘이 들고 어렵다. 고통을 받아가며 순교자와 같은 삶을 사는 고난도의 점수를 받는 삶이다.

자기를 희생하여 다른 영혼이 영생을 얻게 함은 영생을 얻는 확실한 방법 중의 하나이다. 언제나 사랑의 법칙이 적용되어 줌으로서 받을 수 있기 때문이다. 장애인이 장애를 주신 창조주의 의도를 깨달아 이에 감사를 드릴 수 있으면 장애 자체가 사랑의 실천 도구로 변한다. 장애 자체로 인해 삶의 목표를 달성한다. 장애인이 되었음에 그 의미를 깨닫고 감사를 드리면 장애는 살아가는 데 불편할 따름이며 장애인은 그 장애에서 벗어날 수 있다.

눈으로 보지 못한다든가 몸을 움직일 수 없다면 죄를 짓는 행위를 그만큼 하지 못한다. 듣지 못한다면 남에게 나쁜 말도 할 수 없어 죄를 짓지 못한다. 긍정적으로 생각하면 몸의 불편함이나 삶의 어려움도 마음먹기에 따라 다르게 느껴진다. 창조주의 깊은 의도에 감사하게 생각하면 경락이 열려 사랑의 에너지가 들어와 충만하므로 모든 어려움이 해소되고 기쁨과 행복은 저절로 굴러들어온다. 욕심을 크게 내지 못하고 마음을 비우고 살 수 있어 마음먹기에 따라 얼마든지 행복한 삶을 살 수 있다.

감사하는 마음은 사랑하는 마음보다 경락을 여는 데 두 배의 효과가 있다고 한다. 창조주가 가장 좋아하는 말이 감사이기 때문이다. 감사는 언제나 사랑의 실적이 이루어진 다음에 나오는 말이므로 더 많은 은총을 받는다. 살면서 고마움을 많이 느낄수록 더 행복해진다. 자기에게 장애를 준 창조주의 의도에 고마움을 느낄 수 있다면 장애는 사랑의 실천 도구로 변한다. 사랑을 주었거나 받았어도 매사에 감사하며 살아가야 한다. 사랑을 줄 수 있음에 감사해야 하고 사랑을 받을 수 있음에 감사해야 한다. 죽을 때까지 감사하며 살아가는 사람은 천국으로 간다.

고마움을 느낄 때 우리는 진리에 더 가까이 있다. 창조주만이 진리이며 사랑 자체이기 때문이다. 진리는 오직 창조주에게서 나오며 인간은 깨닫고 이용하고 전파하기만 한다. 자연에 대하여 아름다움을 느끼고 고마움을 느낄 때 자연과 가까워지고 하나가 될 수 있다. 사랑과 진·선·미를 느끼고 감탄할 때 경락이 열려 사랑의 에너지를 받아 기분이 좋아진다. 상대방에 감사와 고마움을 표현할 때 경락이 열려 상대방의 마음을 열 수 있다. 극진한 대접이나 보살핌을 받으면 마음이 따뜻해지고 열린다. 사랑의 에너지는 인성의 마음을 천성의 마음으로 바꿀 수 있기 때문이다.

장애인을 돌보는 사람이 장애인을 돌볼 수 있음에 감사를 드리면 장애인을 돌보는 데 힘이 들지 않는다. 장애인을 더 사랑할 수 있고 아끼게 된다. 인간사에는 언제나 사랑의 법칙이 적용된다. 인과응보이다. 줌으로써 받는다. 용서함으로써 용서받는다. 사랑함으로써 사랑받는다. 하늘은 스스로 돕는 자를 돌본다. 사랑의 에너지를 주어야 되돌려 받을 수 있기 때문이다. 사랑의 에너지를 써서 일을 해야 사랑의 에너지를 되돌려 받는다.

장애인일수록 힘들지 않는 일이라도 자기가 할 수 있는 일을 해야 한다. 몸은 가급적 자주 움직여 주어야 움직인 조직이 사랑의 에너지를 받는다. 움직이지 않으면 더욱 위축되고 소멸로 이어진다. 몸이 자유롭지 못해도 인간뿐 아니라 자연과 다른 생명체를 돌보고 보살피는 일은 하고자 하면 얼마든지 있다. 지·덕·체와 진·선·미와 관계되는 일도 무수히 많다. 장애인일수록 몸을 많이 움직이고 운동을 많이 해야 한다. 요즈음은 휠체어를 타고 하는 스포츠가 많아졌다. 장애를 극복하는 가장 빠른 방법은 스포츠를 통하는 것이다. 하반신 마비가 온 사람도 호식을 강하게 하는 호식 위주의 호흡을 하든가 성악을 하든가 부는 악기를 다루면 정상인과 같은 건강을 유지할 수 있다. 호식을 강하게 함으로써 횡격막을 운동시켜 호흡펌프 기능을 회복할 수 있기 때문이다. 하반신이 마비되더라도 '호호기 순환 운동법'을 하면 장의 연동운동이 정상적으로 이루어질 수 있다. 몸이 불편한 만큼 움직이려는 노력을 더 해야 한다. 움직이는 것만큼 사랑의 에너지를 받기 때문이다. 쓰지 않고 나누고 베풀지 않으면 사랑의 에너지는 되돌아오지 않는다.

모든 문제는 마음의 눈높이만 낮추면 해결된다. 나보다 어렵고 힘든 삶을 살아가고 불행하다고 생각되는 사람은 얼마든지 있다. 체면을 차리지 않고 눈높이를 낮추면 행복으로 다가가고 높이면 불행으로 이어진다. 누구나 자기가 누리고 소유한 것은 당연한 것으로 생각하여 기정사실화 하고 부족한 것을 채우려 한다. 마음은 채우려 하면 할수록 욕심으로 채워진다. 욕심은 욕심을 낳으며 세상을 모두 지배해도 부족함은 남는다.

일생의 모든 것을 합하면 누구나 동일하다. 특출한 면이 있다면 부족한 면이 그만큼 많다는 의미이다. 부족한 면이 많다면 그만큼 다른 사람이 소유하지 못한 면을 반드시 갖는다. 그렇지 않다고 생각하는 사람은 묻혀 있는 보물을 찾지 못했을 뿐이다. 평범하게 살아가는 사람이 가장 잘 사는 사람이다.

아무리 심각한 장애가 있는 사람이라도 영혼은 창조주의 분신이므로 온전하다. 장애를 가진 영혼은 존재하지 않고 있을 수도 없다. 사랑과 양기의 순도가 다를 뿐이다. 장애인일수록 마음은 순박하고 욕심을 내지 못한다. 작은 일로도 사랑의 에너지를 받기가 쉽다는 의미이다. 장애를 갖고도 정상인 못지않게 행복을 누리며 잘 살아가는 사람은 얼마든지 있다. 영혼의 능력은 무한하며 동일하기 때문이다. 사랑의 에너지를 받을 수 있는 능력은 동일하다. 기쁨과 행복을 누릴 수 있는 능력은 동일하다. 장애인이라도 기쁨과 행복에 넘치는 모습은 아름답고 사랑스럽다. 마음을 열어 천성의 마음으로 바꾸면 정상인과 같다. 영혼은 창조주의 분신이므로 결코 장애를 갖지 않는다. 어떤 장애인이라도 세상에 불행한 인생은 없다. 다만 자신을 천하게 바라보면 불행한 인생이 되지만 귀하게 바라보면 틀림없이 행복한 인생이 된다. 동일한 영혼을 갖기 때문이다. 영혼의 존재를 알면 기쁨과 행복을 누릴 수 있다. 육신은 영혼이 걸친 겉옷과 같은 것이다. 옷을 잘 입는다고 천국에 가는 것이 아니다. 육신과 정신에 장애가 있더라도 영혼은 온전하며 영생을 누릴 창조주의 분신이다.

육신은 영혼이 걸친 겉옷에 불과하고 창조주의 의도를 실현하는 도구이다. 영혼을 활동하게 해 경락을 열면 장애인이라도 정상인과 전혀 다를 게 없다. 장애인도 정상인과 같은 양심과 이성을 소유하므로 양심과 이성을 작동시키면 사랑의 에너지를 받는다. 사랑의 에너지를 받아들이는 능력은 동일하기 때문이다. 영혼의 능력은 동일하기 때문이다. 영혼이 활동하면 경락이 열리고 사랑의 에너지는 동일하게 받는다. 마음은 비우면 비울수록 사랑의 에너지로 채워지고 겸허해진다.

인간의 잘못과 죄

인간은 영혼을 소유한 창조주의 분신이므로 창조주의 뜻에 일치하는 삶을 살아야 한다. 창조주의 뜻에 일치하는 일은 인간뿐 아니라 자연과 다른 생명체를 돌보고 보살피는 일이다. 창조주의 몸을 보살피는 일이 사랑이다. 창조주의 몸과 조화와 일치를 이루며 하나가 되는 일이 사랑이다. 자연을 훼손하지 않아야 하고 다른 생명체도 보호해야 한다. 서로 돕고 나누고 베푸는 삶을 살아야 한다. 창조주의 뜻에 일치하지 않는 일을 하는 삶은 잘못이며 죄를 짓는 행위가 된다.

인간은 살아가면서 크고 작은 잘못을 저지를 수밖에 없다. 마음은 음기이므로 마음에는 음기인 탁기濁氣가 들러붙지 못한다. 그러므로 영혼은 인성의 마음을 통제하지 않고 방치한다. 인성의 나에게 자율권을 주는 것으로 나타나 내 마음대로 살아간다. 마음은 자유로워 천방지축이다. 마음은 몸뿐 아니라 몸 밖으로도 나가 순간에 우주의 끝에서 다른 끝으로 갈 수도 있다.

정신은 양이므로 정신에 음인 탁기가 들러붙는다. 그런데 정신은 천방지축인 마음을 따라다닌다. 마음이 가는 대로 정신과 기는 따라다닌다. 마음이 몸을 나가면 정신도 따라 나가 정신 나간 사람이 된다. 정신이 나가면 양심과 이성과 멀어져 해야 할 일과 하지 말아야 할 일을 구분하지 못한다. 걸려 넘어지기도 하고 죄악을 저지르기도 한다. 천방지축인 마음을 따라다니는 정신에 탁기가 들러붙어 인간은 크고 작은 잘못을 저지르며 살아간다. 언제나 정신을 차리며 살아가야 한다. 정신이 나가면 체력이 소모되기 때문이다.

인간은 마음이 한가해지면 안 된다. 인간의 육신은 마음의 노예이며 마음이 하라는 대로 한다. 마음이 명령하면 죽는 줄 알면서도 독약도 먹는다. 마음이 한가해지면 정신도 한가해져 정신 나간 사람이 되기 쉽다. 정신이 나가면 인간은 정상적인 판단과 의식 활동을 하지 못한다. 양심과 이성과는 멀어져 욕심을 채우려 한다. 인간이 죄를 저지르는 원인이 된다. 한가한 시간을 한가하게 살아가다가 한심한 사람이 된다. 빈들빈들 놀고 지내면 죄를 짓기 쉬워진다. 순진한 어린이도 뛰놀지 않고 한가하게 골목에서 빈들거리면 죄를 짓기 쉬워지며 악에 물들기 쉽다. 자주 정신이 나가면 사랑의 에너지 부족으로 뇌세포가 죽어 멍청해지기도 하고 정신병자도 되는 것이다.

인간은 영혼이 활동하지 않으면 이성을 잃어 해야 할 일과 하지 말아야 할 일을 구별하지 못한다. 영혼이 소유한 양심과 이성이 하라는 대로 살아가면 된다. 인성의 마음인 욕심이 발동하면 영혼의 마음인 양심이 발동하지 못한다. 양심이 발동하면 욕심이 발동하지 못한다. 인간은 욕심 때문에 이성을 잃는다.

잘못을 저지르면 그 정도에 따라 반드시 경락이 닫힌다. 경락이 닫히면 사랑의 에너지 공급이 중단되므로 활성산소가 생성되어 질병과 노화로 이어지므로 그만큼 몸에 영향이 온다. 잘못에 대한 대가를 치르는 것이다. 잘못을 저지르면 양심의 가책도 받는다. 심경락이 닫히는 현상이다. 후회도 되고 가슴은 두근거리고 근심과 걱정이 생기기도 하고 밤잠을 설치게 된다. 결코 기쁨이나 행복을 느끼거나 누리지 못한다.

심경락이 심하게 닫히면 상단전을 나온 양기가 하단전으로 내려가지 못하고 상기上氣되어 적체된다. 양기인 화기가 내려가지 못하고 머리로 올라가 적체되면 머리가 아프고 열이 오르며, 화가 나 뚜껑이 열리고 폭발하기도 한다. 하루에 화를 5번 이상 내면 뇌졸중으로 이어지기 쉽다고 한다. 특히 다혈질이거나 혈압이 높은 사람은 화내는 것을 삼가야 한다. 화내다가 생명을 잃을 수 있기 때문이다. 상기되면 머리가 아파오며 울화증鬱火症이 오며 화병火病이 되고 우울증도 된다. 울화증鬱火症은 화기가 적체되는 현상이며 줄여서 화병火病이다. 우울증憂鬱症은 근심과 걱정이 적체되는 현상이다. 울화증이나 우울증은 뇌세포의 지속적인 죽음을 의미하므로 가급적 빨리 대책을 세워야 한다. 방치하면 치매로 이어진다.

인간은 처음으로 잘못을 저지르면 양심의 가책을 받는다. 죄를 지으면 죄의식을 느낀다. 그러나 습관이 되면 양심의 가책도 느끼지 못하고 죄의식도 느끼지 못한다. 악에 익숙해지면 욕심이 더욱 커져 깊은 수렁으로 빠진다. 바늘도둑이 소도둑 된다. 욕심이 욕심을 낳기 때문이다. 마음은 채우려 하면 할수록 욕심으로 채워지고 비우면 비울수록 사랑의 에너지로 채워진다. 지도자가 마음을 채우려 하면 기업이나 단체나 나라도 망하게 만든다.

아픔과 질병

인성의 마음으로 영혼이 활동하지 못하면 인간은 사랑의 에너지를 받지 못한다. 경락이 닫혀 생체전기를 생산하지 못하면 선천기를 소모해 발전기를 돌려 생체전기를 생산해야 하므로 선천기가 소모되어 수명의 단축으로 이어진다. 수명이 단축되므로 본능적으로 생체전기의 소모를 최소로 하며 살아야 한다. 자기의 이익만을 챙기려 하고 남을 돕거나 생각해주지 못한다. 인간은 경락이 닫힘을 인식하지 못한다. 경락이 닫히면 사랑의 에너지를 공급받기 어려워진다. 조직에 사랑의 에너지가 공급되지 못하면 활성산소가 생성되어 뇌세포와 혈관을 이루는 내 피세포가 죽어 질병과 노화로 이어진다.

아픔이나 질병은 영혼이 육신에게 주는 사랑의 에너지가 부족하다는 경고이다. 천성의 나인 영혼이 인성의 나에게 각성하라고 내리는 경고이다. 고통과 질병도 영혼이 육신에게 주는 은혜이다. 자기의 삶을 반성하고 깨달음에 이르는 각성을 얻을 수 있기 때문이다. 아이들은 아픔을 통해 깨달아가며 성장하고 어른은 아픔을 통해 깨달아가며 늙어가며 창조주에게 되돌아간다. 누구나 반쯤 죽어 보면 철이 나고 정신을 차린다. 병에 걸리면 각성의 기회로 생각해야 한다. 중병에 걸렸다면 각성하고 삶의 방법을 근본적으로 바꾸어야 한다. 인간에게 병이 없으면 탐욕이 생기며 교만해진다. 건강한 사람의 눈에는 죽음이 보이지 않는다. 죽지 않고 한 없이 사는 것으로 착각해 기고만장해진다.

중병이나 암에 걸렸다면 우선 생명을 부지시켜 주심에 감사를 드리고 삶을 반성하고 열심히 치료한다. 기존 삶의 방식을 전면적으로 변경해야 한다. 식생활부터 일상생활까지 경락이 열리는 삶으로 바꿔야 한다. 근본적으로 인성의 삶을 영혼이 활동해 사랑의 에너지를 받을 수 있는 천성의 삶으로 바꿔야 한다. 병이 치유되었다는 의학적 판단으로 끝난 것이 아니다.

면역력이 생기려면 시간이 걸린다.

암 치료 후 5년 정도는 재발하지 않아야 치유된 것으로 생각
한다. 암이라는 질병은 오랜 기간 동안 사랑의 에너지 부족으
로 생성되어 발병된다. 그동안 생각과 삶의 방식에 따른 인과
응보로 지금의 현상이 온 것이다. 사랑의 에너지를 되돌려 받
을 수 있는 삶의 방식으로 바꾸어야 한다.

근본적인 치유와 새로운 삶을 원한다면 기존의 삶의 방법을
근본적으로 바꾸어 새로운 삶을 살아야 한다. 완치되었다고 또
다시 동일한 방식의 삶을 살아가면 반드시 재발하며 치유가 더
어려워진다. 심각한 경고를 무시하면 새 삶의 기회는 다시 오
지 않는다. 사랑의 에너지를 받을 수 있는 삶의 방식으로 바꾸
어야 한다. 더 많이 움직이고 베풀고 나누고 감사하는 삶을 살
아야 한다. 무엇보다 욕심을 버리고 하늘의 뜻에 따르는 사랑
을 나누고 베푸는 삶으로 바꾸어 사랑의 에너지를 되돌려 받을
수 있는 삶을 살아야 한다.

우선 삶에 대한 생각과 생활 습관을 바꾸어야 한다. 바른 마
음과 자세로 바른 삶을 살아야 한다. 사랑의 에너지를 받을 수
있도록 천성의 마음으로 바꾸어야 한다. 인성의 마음인 욕심을
버리고 하늘마음인 사랑의 마음으로 바꾸는 것이 우선이다. 천

성의 마음이라야 사랑의 에너지를 받을 수 있기 때문이다. 또한 삶의 방법을 바꾸는 것이 좋다. 손과 발을 써서 힘든 일을 하며 사는 것으로 바꾸는 게 가장 쉽다. 기 순환을 쉽게 가장 잘 시킬 수 있기 때문이다. 체력이 허용하는 한 많이 움직여 주어야 한다. 손과 발을 부지런히 움직이는 삶을 살아야 한다. 몸을 움직여 주어야 움직인 조직이 사랑의 에너지를 받는다. 운동 부족이 만병의 원인인 것이다.

육장 육부에 사랑의 에너지를 고르게 보내려면 온 몸을 고루 움직여 주어야 한다. 우리 몸의 근육과 뼈와 육장육부는 12개의 경락이 지배하는 영역으로 구분되어 있어 해당하는 경락이 자극을 받아야 하기 때문이다. 상체를 운행하는 기는 손가락에서 되돌아오고 하체를 운행하는 기는 발가락에서 되돌아온다. 손가락과 발가락으로 몸을 지탱하는 모든 운동은 기 순환을 촉진한다. 손과 발을 많이 움직여 주라는 의미이다. 종아리를 제2의 심장이라고 할 정도로 발의 움직임이 중요한 것이다. 심장과 먼 부위를 움직일수록 근육펌프 기능이 커진다. 부지런히 움직이며 일하는 사람이 장수를 누린다. 욕심을 버리고 오지에서 반려동물과 함께 자연을 벗 삼아 살아가는 사람의 건강이 유지되는 이유이다.

사랑의 에너지를 받아 생체전기의 생산을 늘리려면 무엇보다 호흡을 잘해야 한다. 몸의 움직임을 늘리는 것은 근육펌프 기능을 확보하는 것이며 호흡에 의한 호흡펌프 기능이 더 중요하다. 사랑의 에너지를 직접 받아 체력을 생산하기 때문이다. 생체전기를 생산하는 발전기의 피스톤 역할은 호식으로 횡격막이 수축함으로써 이루어지므로 건강을 회복하려면 호식을 잘하는 방법이 빠르다. 호식 주기에 상단전으로 들어온 음기는 양기로 바뀌어 하단전으로 내려가면 단번에 생체전기가 되므로 호식 위주의 호흡으로 바꾸는 것이 좋다. 나이 들어갈수록 경락을 열기 어려워 체력을 늘리는 것은 쉽지 않다. 명상이나 참선, 단전호흡 수련은 인성의 마음을 천성의 마음으로 바꾸는 요령이 터득되려면 상당한 수련을 해야 한다. 그러나 '호호 기 순환 운동법'을 이용하면 누구나 쉽게 체력을 4~5배로 늘릴 수 있다.

체형의 변형이 왔다면 생활습관을 바꾸어 자세를 바로 잡아야 기 순환이 될 수 있다. 먹는 음식물도 공해 물질을 피하며 음성보다 양성의 비중을 높여야 한다. 체력이 떨어진 환자는 공해 물질이 포함되지 않은 순수한 음식물만 섭취해도 면역력이 상승된다. 동물성은 음성이며 식물성은 양성이다. 지방질은 높은 체온을 갖는 동물성보다는 낮은 체온을 갖는 어류와 같은 동물성이 좋고 저온에서도 활성화될 수 있는 식물성이 더 좋다.

모든 욕심을 버리고 마음을 비우면 천성의 마음이 되어 영혼이 활동해 경락이 열린다. 경락이 열리면 사랑의 에너지를 받아 생체전기가 생성되어 생명력과 면역력, 적응력이 생긴다. 새 삶을 살아 보람된 삶을 살 수 있어 삶의 목표 달성이 가능해진다. 무엇보다 중요한 것은 심장과 뇌의 건강을 유지하는 것이다. 심장은 마음의 장기이므로 심경락이 닫히지 않도록 사랑의 마음으로 천성의 삶을 살아야 한다. 심장을 보호하는 경락이 심포心包 즉 마음보이다. 마음보를 잘 써야 건강과 사업이 좋아진다. 감사하고 나누고 베푸는 삶을 살아야 한다. 불평불만 말고, 긍정적으로 매사에 감사하며 살아야 한다. 뇌세포가 죽으면 만사가 허사가 되므로 뇌세포가 죽지 않도록 사랑의 에너지를 받을 수 있는 삶을 살아야 한다.

사랑받고 칭찬받으면 좋아하고 미워하면 슬퍼지는 것은 인간의 본능이다. 모든 생명체도 마찬가지이다. 고래도 칭찬하면 춤을 추게 할 수 있다 하지 않는가. 인간은 사랑의 에너지를 받지 못하면 사랑과 멀어지고 자신감을 잃는다. 인간은 영혼이 활동하지 않으면 양심과 이성이 작동되지 못해 이성을 잃기가 쉬워진다. 이성을 잃으면 해야 할 일과 하지 말아야 할 일을 구별하지 못하고 부정적이며 근심 걱정과 두려움이 생긴다. 희망을 잃게 되고 자존심이 상처받으면 마음은 이성을 잃어 어떠한 행동을 할지를 모른다. 우울증도 되고, 공황장애도 오고, 화병도 되고, 스트레스, 분노, 저주, 증오, 비방, 불만, 오만, 욕심, 복수심으로 이어진다. 음주, 도박, 마약, 폭력, 범죄로 이어지고 자살이나 묻지 마 살인도 벌어진다. 모두 경락이 닫혀 사랑의 에너지를 받지 못해 나타나는 현상이다.

인간은 깨어 있는 삶을 살아야 한다. 이성을 잃지 않고 살아가야 한다. 하루 24시간 모두를 경락이 열리는 삶을 살 수 있다. 인성의 마음을 순수하게 해 천성의 마음으로 바꾸면 된다. 욕심을 버리고 마음을 비워 양심과 이성이 하라는 대로 살면 된다. 창조주의 뜻에 일치하게 살아가면 된다. 내가 하는 생각이나 일이나 행위가 창조주의 뜻에 일치하는지 생각하는 것을 습관화하는 게 필요하다. 생각이 마음을 주도하므로 무엇보다 중요하다. 긍정적으로 생각하고 사랑의 마음으로 모든 것을 생각한다. 사랑을 나누고 베푸는 삶으로 바꾼다. 영혼이 영생을 가장 빨리 얻는 방법이다. 경락을 여는 삶이 장수하는 비결이다. 욕심을 버리고 마음을 비우며 나누고 베풀며 서로 돕고 기쁘고 감사하는 삶이다.

마음은 비울수록 사랑의 에너지로 채워지고 사랑의 에너지로 채워질수록 몸과 마음이 가벼워지고 겸허해진다. 마음을 비울수록 몸에 저항이 없어져 기와 혈액의 순환도 잘 이루어진다. 인성의 마음은 키울수록 욕심이 커져 경락이 닫히므로 사랑의 에너지를 빼앗겨 수명의 단축으로 이어진다. 천성의 마음은 키울수록 사랑의 에너지를 받아 생성되고 번성하며 영생과 가까워진다. 되돌려 받는 사랑의 에너지라야 건강과 젊음, 기쁨과 행복을 주고 영혼이 자라고 양기의 순도를 높인다.

내려놓는 데서 인생의 완성이 이루어진다

세상을 살아가는 일이 고통스러운 것은 자신도 모르게 무엇인가를 움켜쥐고 놓지 않으려는 욕심 때문이다. 하루하루가 불안한 것은 무엇인가를 자꾸 채우려는 습관 때문이다. 비우고 놓고 낮추면 경락이 열려 사랑의 에너지가 들어와 행복해질 수 있다. 인간의 마음은 비우면 비울수록 사랑의 에너지로 채워지고 채우려 하면 할수록 욕심으로 채워진다. 내려놓는 데서 인생의 완성이 이루어진다. 인생의 완성은 행복을 누리며 영혼이 창조주와 함께 영원한 삶을 살아가는 영생을 누리는 것이다.

인간은 생각이 달라지면 말이 달라지고, 말이 달라지면 행동이 달라지며, 행동이 달라지면 습관이 달라진다. 습관이 달라지면 인격이 달라지며, 인격이 달라지면 인생이 달라진다. 생각은 곧 인생이 된다. 이생의 생각은 저 생의 삶으로 이어진다. 이생은 생각을 단련하는 기간이며 저 생을 살아가는 밑천이 된다. 이생은 한시적인 삶이며 저 생은 영원한 삶이다. 이 세상은 한시적인 눈에 보이는 음의 세상이며 육신이 사는 세상이다. 저 세상은 눈에 보이지 않는 영원한 양의 세상으로 빛의 세상이며 영혼이 사는 세상이다. 영혼이 영원한 삶을 살아가려면 이생에서 사랑의 실적을 올려 공덕을 쌓아야 한다. 영혼이 행복하려면 천성의 삶을 살아 사랑의 에너지를 되돌려 받을 수 있는 일을 해야 한다. 되돌려 받는 사랑의 에너지 양이 많을수록 영혼이 자라고 성숙하며 기쁨과 행복을 누리고 영생과 가까워진다.

9

사랑의 에너지를 받는 방법

천성의 마음으로 영혼을 활동하게 한다

인간의 몸에서 사랑의 에너지를 순환시키는 행위가 영혼의 활동이다. 영혼은 경락을 여닫아 사랑의 에너지의 출입을 통제한다. 영혼이 활동해 경락이 열려야 사랑의 에너지가 우리 몸으로 들어온다. 영혼은 창조주의 분신이므로 사랑의 에너지를 마음대로 운용할 수 있다.

영혼이 활동해야 경락이 열려 사랑의 에너지를 받아 생체전기를 생산하므로 체력이 스스로 생산된다. 인성의 마음을 비우면 순수해지므로 천성의 마음인 하늘마음이 되어 영혼이 활동한다. 인성의 마음은 경락을 닫아 생체전기의 생산이 중단되어 저장된 체력인 선천기를 소모해야 하므로 수명의 단축으로 이어진다. 뿐만 아니라 인성의 마음인 욕심이 발동되면 이성을 잃어 해야 할 일과 하지 말아야 할 일을 구별하지 못한다. 자존심 상하거나 희망이 이루어지지 않을 때 이성을 잃으면 인성의 마음은 어떤 짓을 할지 모른다. 음주, 파괴, 폭력, 도박, 마약, 자살, 살인 등 각종 범죄로 이어지고 우울증이나 공황장애, 화병으로 이어지기도 한다. 뇌세포가 지속적으로 소멸됨을 의미한다. 파킨슨 질환, 알츠하이머, 치매로 이어진다.

인간은 영혼이 활동하면 영혼이 뇌와 심장의 기능을 통제하여 천성의 삶을 살게 한다. 영혼이 활동하지 않으면 뇌가 육신을 통제하여 본능적으로 사는 인성의 삶을 산다. 뇌는 처음부터 인성인 육신을 위한 기관이므로 본능적이며 육신의 이익 위주로 활동한다. 뇌는 마음을 비우는 방법을 모른다.

영혼의 마음은 하늘마음으로 우주의식이며, 양심이며 바르고 선한 일을 하고자 하는 마음이다. 영혼의 마음이 천성의 마음이며 천성의 마음일 때 경락이 열린다. 마음이 순수해지면 하늘마음, 창조주의 마음이 된다. 영혼은 양심과 이성을 소유하므로 인간으로 하여금 창조주의 뜻에 일치하는 삶을 살게 한다. 인간은 양심과 이성이 하라는 대로 살아가면 영혼이 활동해 사랑의 에너지를 받는다.

천성의 마음은 인간의 본성本性이며, 생명을 치유하고 키우는 사랑의 마음이며, 평화롭고 온화한 마음, 배려하고 베푸는 마음, 정情을 주는 따뜻한 마음이다. 창조주의 몸인 인간뿐 아니라 자연과 다른 생명체를 보살피고 돌보는 마음으로 사랑의 마음이다. 사랑을 배우거나 실천하는 일을 하면 사랑의 에너지를 되돌려 받는다. 창조주는 사랑이며 진·선·미 자체이므로 사랑하는 마음과 참되고 선하고 아름다운 마음은 경락을 연다. 사랑을 주면 가슴이 열린다. 극진한 위로나 대접을 받거나 보살핌을 받으면 마음이 따뜻해지며 닫혔던 마음이 열려 감사를 느낀다. 사랑은 언제나 먼저 줌으로써 받는다.

사랑의 에너지로 우주 만물과 만사가 이루어진다. 사랑의 에너지를 받으면 생성과 번성으로 이어지고 받지 못하면 위축과 소멸로 이어진다. 사랑의 에너지로 치유되지 않는 질환은 없다. 마음이 순수해져야 하늘마음이 되어 경락이 열린다. 냉철한 마음이 아니라 따뜻한 마음이 순수한 마음이며 하늘마음이다. 뇌는 냉철해야 하고 가슴과 마음은 따뜻해야 한다. 뇌가 따뜻해지면 뇌세포가 죽는다.

영혼이 활동할 수 있어야 경락이 열린다. 영감靈感을 받는다는 의미는 영혼이 활동한다는 의미이다. 진·선·미나 지·

덕 · 체를 위한 활동도 경락이 열려야 영감을 받아 대성할 수 있다. 어느 분야든 신의 경지에 도달한다고 말한다. 신神이란 인성의 마음이 아닌 천성의 마음이다.

창조주의 뜻에 일치하는 일을 하거나 일치하는 마음 상태를 유지한다

인간이 창조주의 뜻에 일치하는 마음 상태이거나 행위를 할 때 영혼이 활동하며 경락을 연다. 창조주의 몸인 인간뿐 아니라 다른 생명체와 자연을 돌보고 보살피는 일이 사랑이며 창조주의 뜻에 일치하는 일이며 인간이 해야 할 일이다. 반려동물과 함께하는 삶도, 자연과 벗 삼는 삶도 사랑의 에너지를 받으므로 행복을 누릴 수 있는 이유이다. 인간은 사랑을 배우거나 사랑을 실천하는 일을 해야 사랑의 에너지를 되돌려 받는다.

인간은 뇌가 의식 활동을 하면 경락이 닫혀 영혼이 활동하지 못한다. 양심과 이성을 잃기가 쉽다는 의미이다. 영혼은 창조주의 분신이므로 영혼의 활동은 창조주의 뜻에 일치하는 일을 하는 것이다. 창조주는 사랑이며 진 · 선 · 미 자체이다. 사랑하는 마음, 참된 마음, 선한 마음, 아름다운 마음과 이에 일치하는 모든 행위는 경락을 열어 사랑의 에너지를 받는다. 다른 생각은 하지 않고 일에 열중하고 몰두하여 무념무상의 상태가 될 때 경락이 열린다.

인간사에서 창조주의 뜻에 일치하는 일은 선하고 바르고 아름다운 일이다. 영혼이 활동해야 양심과 이성이 발동되어 바르고 선하고 아름다운 일을 한다. 사랑을 배우거나 배운 사랑을 실천하는 일이다. 창조주의 뜻에 일치하지 않으면 그릇되며 악한 일이며 죄를 짓는 일이다. 자기에게 이익이 되면 악이며 손해가 되면 선이다. 결과를 보고 판정하는 것이 아니라 동기를 보고 판정한다. 언제나 동기가 순수해야 경락이 열린다. 경락이 닫히면 뇌가 주도하여 인간의 삶을 통제하므로 본능적으로 자기의 즐거움이나 이익을 위주로 하는 인성의 삶을 살게 되어 사랑의 에너지를 받지 못한다.

뇌가 의식 활동을 하지 못하게 한다

인간의 뇌가 의식 활동을 해 뇌식腦識이 이루어지면 순수한 마음이 아니므로 경락이 닫힌다. 눈으로 보는 안식眼識, 귀로 들어서 아는 이식耳識, 코로 냄새를 맡아 아는 비식鼻識, 혀로

맛을 아는 설식舌識, 온 몸에서 촉감으로 오는 신식身識, 생각意에서 오는 의식意識을 합한 것이 뇌식腦識이다. 나의 이익과 결부되어 생겨나는 이기심, 에고, 본능적인 마음인 말나식末那識은 경락을 닫는다.

　인간은 뇌가 생각을 하고 의식이 활동하면 경락이 닫힌다. 뇌가 명령을 내려 마음이 하라는 대로 하는 운동은 체력을 생성하지 못하고 소모로 이어진다. 뇌가 생각을 하고 의식 활동을 함은 마음이 뇌나 감각 기관에 머문다는 의미이다. 마음이 하단전 이외에 머물면 경락이 닫힌다. 근심 걱정을 하거나 두렵거나 놀랄 때, 화를 낼 때 경락이 더 심하게 닫힌다. 가슴이 두근거리고 다리가 후들거리며 정신이 없다. 크게 놀라면 횡격막이 출렁이며 가장 가까이에 있는 간에 충격을 주어 '간 떨어졌다' 고 말하기도 한다.

　인성의 마음은 자기의 뜻대로 되지 않으면 반대 행동을 한다. 자아라는 자존심이 상처받으면 살아갈 수조차 없는 지경이 되어 이성을 잃기도 한다. 마음이 목적을 달성하지 못하면 충격을 받아 파괴의 길로 치달아 죄악을 저지르기도 한다. 수단과 방법을 가리지 않는 삶을 산다. 알코올 중독에 빠지고 폭력과 범죄와 마약의 길을 가기도 하고 때로는 살인이나 자살로도 이어진다.

인성의 마음을 유지하면 경락이 닫혀 사랑의 에너지를 받지 못하여 소멸로 이어진다. 양심과 이성이 따르는 삶을 살아야 한다. 인성의 마음을 천성의 마음으로 바꾸기만 하면 영혼이 활동해 경락이 열린다. 순수한 하늘마음인 초자아, 슈퍼에고, 이타심이 발휘될 때 경락이 열린다. 창조주의 뜻에 일치하는 마음이거나 일을 할 때 경락이 열린다. 마음과 정신을 집중하여 몰입할 때 경락이 열린다.

무념무상의 무의식 상태를 유지한다

인간의 뇌가 의식 활동을 하면 경락이 닫힌다. 천성의 마음으로 하늘마음, 순수하고 선하고 참된 마음, 무념무상의 상태인 무의식 상태가 되어야 경락이 열린다. 자아를 버리면 경락이 열린다. 이 세상에 의지할 것은 없다. 부모 형제도 지식도 재산도 건강도 무엇 하나 의지할 것이 못 되므로 전부 버리고 비워야 한다. 집착하지 말라는 의미이다. 내가 없어도 세상은 잘 돌아간다. 나 없으면 안 될 거라는 마음은 버려야 한다. 몸이든 마음이든 비우면 경락이 열리므로 시원하고 편안해진다.

잠을 자면 의식이 활동하지 않아 경락이 열린다. 무엇이든 열심히 하고 몰두함으로서 삼매경에 빠져 자기를 의식하지 않아야 경락이 열린다. 정신과 마음과 몸을 집중하면 경락이 열린다. 몸의 중심인 하단전에 집중하는 것이 가장 효과적이다. 일을 할 때는 일에 집중하고, 말을 할 때는 말에 집중하고, 먹을 때는 먹는 데 집중해야 한다. 몰두하고 집중하여 마음이 나돌아 다니지 않아야 한다. 뇌가 활동하여 의식이 활동하면 경락이 닫히고 무념무상의 상태가 되어야 경락이 열린다. 창조주의 뜻에 일치하는 마음이거나 행위를 하면 경락이 열린다. 영혼은 창조주의 분신이므로 사랑의 에너지를 운행하는 원리도 사랑의 법칙과 자연법칙, 인과법칙에 따른다. 인간은 창조주의 뜻에 일치하는 일을 하기 위하여 태어난다. 일을 할 수 없다면 사랑의 에너지를 받지 못하므로 생을 마감해야 한다.

힘든 일이라도 긍정적인 마음으로 집중하여 반복 연습하다 보면 무의식의 능력 단계에 도달한다. 어느 분야에서든 창조주의 뜻에 일치하는 일이라면 아무리 어려운 일이라 하더라도 일만 시간만 몰두하여 반복하며 집중하여 연습하면 무의식의 능력 단계에 들어 달인도 되고 전문가도 될 수 있다. 한 우물을 파라는 의미이다. 하루에 세 시간 정도를 하면 십 년이 걸리므로 십년공부라 한다. 육체적이든 정신적이든 매일 거르지 않고 세 시간 정도로 수련을 한다 함은 결코 짧은 시간도 아니며 쉬운 일도 아니다.

마음을 하단전에 머무르게 한다

인간이 무엇인가를 생각하거나 의식을 하는 뇌의 의식 활동
이 이루어지면 영혼은 활동하지 못한다. 영혼이 활동하지 못하
면 경락이 닫힌다. 긍정적으로 생각하는 습관이 들면 경락이
쉽게 열리고, 부정적인 생활 습관이 들면 쉽게 닫힌다. 마음이
몸을 나가도 경락이 닫힌다. 마음이 머리에서 몸 밖의 다른 데
로 나가면 '한눈판다'고 말한다. 한눈을 팔면 상대방의 말을
알아듣지 못한다. 마음을 따라 기氣인 정신도 따라 나가 정신
나간 사람이 된다. 사랑의 에너지가 마음을 따라 나가 뇌에 공
급되지 못해 생체전기의 공급이 중단되므로 정상적으로 작동
되던 뇌의 활동이 정상적으로 이루어지지 못하기 때문이다. 정
신이 자주 몸을 나가면 사랑의 에너지 공급 부족으로 뇌세포가
죽어 멍청해지는 것이다. 정신 줄은 놓으면 안 되고 챙기며 당
기며 살아야 한다. 하는 일 없이 마음이 한가해지면 안 되는 것
이다.

공부를 할 때도 마음이 머리를 나가면 정신이 따라 나가므로

공부가 머리로 들어오지 못한다. 사랑의 에너지가 따라 나가므로 뇌의 컴퓨터를 작동시키지 못한다. 정신 나간 사람이 된다. 길을 걸을 때도 한눈을 팔면 정신이 따라 나가 걸려 넘어지기 쉽다. 운동을 할 때도 집중하지 않고 한눈팔면 안 된다. 체력 단련을 한다고 러닝머신을 하면서 이어폰을 끼고 하든가 텔레비전을 보며 하면 경락이 닫히기 쉽다. 헬스클럽에서 하는 각종 운동기구를 이용해도 머리를 써가며 마음으로 명령을 내리며 하는 운동은 체력을 소모시킬 뿐 증가로 이어지지 않는다. 뇌가 의식 활동을 하면 경락이 닫히기 때문이다. 산보를 하고 등산을 한다 해도 무엇인가를 생각하며 하면 체력이 생성되지 못하고 소모되기만 한다. 뇌가 의식 활동을 해 경락이 닫히므로 사고로 이어지기 쉽고 체력의 소모로 이어진다. 인간은 언제나 정신을 차리고 집중하며 살아야 한다. 나이 들어갈수록 체력이 떨어지고 적응력이 떨어지므로 더욱 정신을 차리며 살아가야 한다.

인간의 마음이 몸의 중심이며 기 순환의 중심인 하단전 이외에 머물면 경락이 닫힌다. 경락이 열리려면 상단전과 중단전을 비워 하단전으로 마음과 정신을 모아야 한다. 정신과 마음을 머리와 가슴에서 비워 하단전으로 내려 머물게 해야 경락이 열린다. 천주교에서는 관상기도, 향심기도centering prayer라 한다. 하단전에서 정精·기氣·신神을 집중함으로써 응결시켜 단 丹을 만드는 것이 마음을 단련하고 단전을 단련하는 원리이며 도道를 닦는 원리이다. 인성의 마음도 하단전으로 내려가면 순화되어 천성의 마음이 되어 경락이 열린다.

인성의 마음을 순화시켜 천성의 마음이 되어야 영혼이 활동해 경락을 연다. 인성의 마음을 순화시킬 수 있는 곳은 하단전뿐이다. 마음이 하단전 이외에 머물면 마음이 머문 곳으로 기가 모이며 순환되지 못한다. 언제나 사랑의 에너지인 기는 마음을 따라다닌다. 정신과 몸도 마음이 하라는 대로 한다. 몸과 정신과 마음이 하나가 될 수 있는 곳도 하단전뿐이다. 몸과 마음과 정신이 하단전에서 하나가 되면 경락이 열리고 사랑의 에너지를 받는다. 명상이나 참선의 원리이며 여기에 호흡을 일치시키면 단전호흡 수련의 원리가 된다.

상단전과 중단전에 머무는 정신과 마음을 모두 비워 하단전으로 내려야 한다. 상단전을 비우지 못하면 상단전에서 기 순환이 정체된다. 마음이 머릿속에 있으면 경락이 닫혀 체력이 소모된다. 인간의 체력이 떨어지면 육신을 보호하기 위하여 마음이 뇌에서 떠나지 못한다. 정신을 차리며 한눈을 팔지 않기 위해서다. 닥칠지도 모르는 위험에 대비하는 현상이다. 손해가 날까 두려워 작은 자극에도 과민하게 반응한다. 마음이 뇌 속에 머물면 마음이 머문 뇌로 기가 모이고 순환되지 못하고 정체되므로 혈액 순환도 정체되어 문제를 일으킨다. 잠을 못 자서 오는 문제보다 사랑의 에너지가 순환해야 생체전기가 생산되어 공급되는데 기 순환이 중단되면 활성산소가 생성되어 뇌세포와 혈관을 이루는 내피세포를 죽여 노화와 직결되므로 더 큰 문제가 된다.

생각을 없애려 아무리 노력해도 꼬리에 꼬리를 물고 이어지므로 생각을 없애려 하는 것은 대단히 어렵다. 뇌가 의식 활동을 하면 경락이 닫혀 생체전기의 소모로 이어지므로 체력을 떨어뜨린다. 육체적인 일을 하는 것보다 체력의 소모가 더 크다. 정신노동이 육체적인 노동보다 언제나 체력의 소모가 더 크다. 정신노동은 뇌를 작동시켜야 가능하므로 경락이 닫힌다. 육체적인 노동은 몰두하여 열심히 하면 경락이 열려 체력이 생성되는 기회가 많아진다.

중단전을 비우지 않으면 중단전으로 기가 모이며 심경락이 닫힌다. 마음을 하단전에 머물게 하면 정신도 기도 마음이 있는 하단전으로 모이며 기 순환은 저절로 이루어진다. 기가 하단전으로 들어가면 순환이 저절로 이루어진다. 명상冥想이나 참선參禪을 하고 단전을 단련하는 요령이다. 상단전을 나온 양기가 하단전으로 내려가면 생체전기가 되어 체력이 된다.

명상이나 참선을 한다

명상이나 참선을 하면 경락이 열려 사랑의 에너지를 받는다. 명상을 하는 방법은 동양과 서양이 다르지만 도달하는 경지는 동일하다. 마음이 나돌아 다니지 않고 안정되는 정심靜心, 定心의 상태에서 하단전에 마음을 집중시켜 무념무상無念無想의 상태로 들어가는 과정이다. 뇌가 의식 활동을 하지 않는 무념무상의 상태로 들어감을 의미한다. 번뇌 망상, 근심, 걱정, 불안, 초조, 두려움, 공포에서 벗어나 마음의 안정을 찾아 무념무상의 상태가 되어야 한다. 이러한 상태가 되려면 마음이 하단전에 머물러야 한다.

뇌가 의식 활동을 하는 뇌식이 일어나지 않게 하여 무의식의 단계로 넘어가는 과정으로 유상삼매有相三昧와 무상삼매無相三昧 경지로 들어간다. 온갖 생각을 잠재워 인성의 마음에서 벗어남이 유상삼매 경지이며 비파사나vipassana 명상이다. 마음을 단순하고 밝게 해 순수한 하늘마음인 천성의 마음으로 들어가는 것이 무상삼매 경지이며 사마타shamata 명상이다. 모두 집중력을 강화하는 훈련으로 불교에서는 수행修行이라 한다.

천성의 마음으로 돌아가면 사랑의 에너지를 마음대로 받는다. 사랑의 에너지는 마음을 따라가고 호흡이 실어 나르므로 호흡을 잘해야 생체전기가 되어 체력이 된다. 공기는 폐까지만 들어가지만 호흡을 하기 위한 흉강의 팽창과 수축 압력은 아랫배 하단전으로 내려간다. 횡격막의 운동 폭이 클수록 호흡과 단전호흡의 효과는 커진다. 횡격막이 생체전기를 생산하는 발전기의 피스톤 역할을 하므로 호식과 생체전기의 생산주기가 일치한다. 단전호흡을 횡격막 호흡이라고 말할 정도로 횡격막의 운동 폭을 크게 함이 중요하다. 호흡은 마음과 함께 사랑의 에너지를 실어 하단전으로 나른다. 반드시 사랑의 에너지가 마음과 함께 하단전으로 내려가야 체력이 된다. 마음을 수련하려면 호흡을 수련해야 하는 이유이다.

마음을 머릿속에서 비우면 비운 마음은 어디든 머물러야 한다. 기를 저장할 수 있는 곳은 하단전뿐이므로 마음을 오래 머물게 할 수 있는 곳도 하단전뿐이다. 하단전만이 인성과 천성이 한 자리에 모일 수 있는 유일한 신인합일神人合一의 장소이다.

오직 하단전에서 인성의 마음을 천성의 마음으로 순화하여 변화시킬 수 있다. 마음이 하단전에 머물면 순화되어 하늘마음이 된다. 인성의 마음이 순화되면 하늘마음으로 되돌아간다. 단전호흡의 수련은 마음을 하단전으로 내리는 수련이다. 몸과 마음과 호흡을 수련함을 조신調身, 조심調心, 조식調息이라 한다. 조심調心, 조신調身, 조식調息을 통하여 몸과 마음과 정신을 하단전으로 모아 하나로 만들어 사랑의 에너지를 받는 방법인 것이다.

마음을 수련하려면 단전을 수련해야 하고 단전을 수련하려면 호흡을 잘해 기를 다스릴 수 있어야 한다. 정신과 마음을 호흡에 집중하며 호흡을 천천히 고르게 깊이 해 하단전으로 모으면 된다. 정신과 기는 마음을 따라가기 때문이다. 몸과 마음과 정신과 호흡은 오직 하단전에서 하나로 되어 일체가 되므로 사랑의 에너지를 받는다. 장시간 집중하면 사랑의 에너지가 축적되어 따뜻해지며 응결되어 단丹을 이룬다. 사랑의 에너지를 많이 받을수록 정·기·신이 견고해진다.

폐호흡을 하면 공기는 폐까지만 도달하지만 복식호흡을 하면 흉곽뿐 아니라 아랫배까지 불룩인다. 호흡과 함께 사랑의 에너지가 움직이는 현상이다. 상단전을 나온 양기가 하단전으로 내려가야 생체전기가 되어 체력이 된다. 복식호흡이 단전호흡이 되는 이유이다. 호흡에 의한 횡격막의 움직임은 폐호흡과 단전호흡의 깊이가 되어 횡격막의 운동 폭이 클수록 단전호흡의 효과도 커진다. 횡격막이 수축함으로써 생체전기를 생산하는 발전기의 피스톤 역할을 하기 때문이다. 피스톤을 크게 작동시킬수록 생체전기의 생산량이 커진다. 발전기가 돌아가는 주기는 몸을 움직이지 않을 때는 호흡의 주기와 일치하고 몸을 움직일 때에는 심장박동 주기와 일치한다. 결국 호식의 주기와 일치한다. 필자의 '호호 기 순환 운동법'을 이용하면 원하는 대로 체력의 생성을 효과적으로 늘릴 수 있다.

　호흡은 기를 단전으로 실어 나르는 나룻배 역할을 한다. 근본적으로 마음은 호흡에 머물고 정신과 기는 마음을 따라가기 때문에 건강하려면 몸과 마음과 호흡을 함께 수련해야 한다. 조신調身, 조심調心, 조식調息이 양생법養生法의 기본이 된다. 사랑의 에너지가 포함된 호흡을 숨이라 한다. 숨을 멈추면 사랑의 에너지 공급이 중단되어 세포가 죽는다. 코를 심하게 고는 순간무호흡증이라도 심혈관 질환을 악화시키고 뇌세포를 죽인다. 헬스클럽에서 체력을 늘리기 위하여 무거운 기구를 이용할 때 습관적으로 숨을 멈추기 쉽다. 숨을 멈추면 경락이 닫히며 체력이 소모될 뿐 아니라 활성산소가 생성되어 뇌세포나 혈관을 이루는 내피세포를 죽여 노화와 질병으로 이어짐이 문제인 것이다. 숨을 멈추고 힘을 주면 뇌압이 상승함을 느낄 수 있다. 혈압이 높은 사람이나 뇌혈관에 문제가 있는 사람은 뇌출혈의 위험이 커지는 것이다. 젊은이라 하더라도 뇌압이 상승함은 뇌세포의 죽음으로 이어지기 쉬운 것이다.

마음과 정신을 집중하여 반복 연습을 한다

일을 할 때는 순수한 마음으로 정성을 들여 한다. 남의 일이라 하더라도 내 일처럼 최선을 다해 마음을 집중하고 열심히 할 때 경락이 열려 체력이 생성된다. 하기 싫은 일을 하든가 마지못해 하면 경락이 닫혀 피로가 쉽게 온다. 이 나이에 이게 할 짓인가 하고 불평불만을 마음에 품는다든가 부정적인 생각을 하면 경락이 굳게 닫힌다. 그러므로 자기가 좋아하는 일을 긍정적인 마음으로 집중하며 몰두하며 해야 성공률이 높아진다.

인간은 언제나 마음을 바르게 함이 우선이므로 정심正心이라 한다. 정심正心, 정시正視, 정각正覺, 정행正行, 정도正道를 이루어 마음과 몸과 정신을 닦고 창조주와 일치를 이루며 인생을 완성할 수 있는 것이다. 마음을 바르게 하는 방법은 바로 내가 지금 하는 일에 긍정적인 마음으로 정성을 들여 집중하는 것이다. 일할 때는 일에 집중하고, 공부할 때는 공부에 집중하고, 볼 때는 보는 데 집중하고, 들을 때는 듣는 데 집중하고, 걸을 때는 걷는 데 집중하고, 말할 때는 말하는 데 집중하고, 놀 때는 노는 데 집중하고, 먹을 때는 먹는 데 집중하면 된다.

내가 하는 일에 집중하는 것 자체가 좋은 명상법이 된다. 호흡할 때도 호흡에 마음을 집중하여 천천히 깊이 고르게 한다.

마음을 실은 호흡이라야 기를 실어 하단전으로 나른다. 매사에 마음을 집중할 수 있어야 사랑의 에너지를 받는다. 집중한다는 의미는 몸과 정신과 마음을 하나로 모은다는 의미이다. 마음을 집중하면 집중한 곳으로 사랑의 에너지가 모이고, 사랑의 에너지를 모으면 마음이 그곳으로 가게 되어 마음과 몸이 따로 놀지 않는다. 마음은 천방지축 쏘다니기를 좋아하니 한 곳에 잡아 두어야 한다. 마음을 하단전에 잡아두는 것이 명상이며 참선이다. 마음이 가는 대로 사랑의 에너지는 따라간다. 마음이 하단전에 머무를 때만 인성의 마음이 순화되어 천성의 마음으로 변하며 단전호흡이 이루어져 생체전기를 스스로 생성한다. 마음을 하단전에 머물게 하고 호식을 깊게 하여 횡격막이 수축하는 폭을 크게 할 때 호흡펌프가 작동되어 단전호흡이 효과적으로 이루어져 생체전기가 생성된다. 단전호흡의 원리인 것이다.

마음을 비운다

영혼이 활동해 경락이 열리는 마음이 비운 마음이다. 욕심을 버리고 마음을 비워야 경락이 열려 사랑의 에너지가 들어온다. 몸이든 마음이든 비우면 시원하고 편안해진다. 인성의 마음은 욕심이므로 욕심을 버린 마음이 비운 마음이다. 마음을 비우고 살아야 한다. 무에서 태어나 유를 창조하고 누리며 사는 인생이므로 욕심이 늘어남은 피할 수가 없다. 그러나 욕심은 경락을 닫으므로 사랑의 에너지를 받지 못해 소멸로 이어진다. 내려놓는 데서 인생의 완성이 이루어진다.

우리의 마음은 샘물과 같아서 퍼내면 퍼낸 만큼 고이게 마련이다. 나쁜 것을 퍼서 남에게 주면 더 나쁜 것이 쌓이고 좋은 것을 남에게 주면 더 좋은 것이 쌓인다. 그냥 쌓이는 것이 아니라 샘솟듯 솟아나서 우리의 마음을 가득 채운다. 마음이든 물건이든 남에게 주어 나를 비우면 비운만큼 반드시 채워진다. 좋은 말을 하면 할수록 더 좋은 말이 떠오른다. 좋은 생각을 하면 할수록 좋은 말이 나온다. 생각을 언제나 긍정적으로 하라는 이유이다. 줌으로써 받고 사랑함으로써 사랑을 받는다.

마음을 비운다는 의미는 인성의 마음인 욕심을 버리고 창조주의 뜻에 일치하는 마음이 되는 것이다. 창조주의 마음은 하늘마음이며 영혼의 마음이며 영혼은 양심과 이성을 갖는다. 인간은 양심과 이성이 하라는 대로 살아가면 된다. 인간뿐 아니라 자연과 다른 생명체를 보살피고 돌보며 악을 저지르지 않고 선하고 착하게 살아가야 한다. 보살피고 아끼고 나누는 마음이 사랑의 마음이다. 창조주는 사랑 자체이므로 사랑의 마음은 영혼을 활동하게 하여 양심과 이성을 작동시킨다.

우리는 마음을 비운다고 하면 생각이나 욕심을 버리는 것으로 이해한다. 마음을 비운다는 의미는 마음을 순수하게 해 분별分別이 없는 하늘마음으로 되돌아가는 것이다. 분별이란 세상 물정을 알아서 가리는 것, 즉 선과 악으로 나누는 마음이다. 선과 악, 호好, 불호不好로 나누고 차별해서 집착하고 취사 선택하는 차별의식이다. 대상의 상태를 현명하게 구별하는 구별의식이다.

인간은 태어나서 자라며 배우고 경험과 지식을 늘려가며 살아간다. 자기의 경험과 지식을 기준으로 판단하고 평가하고 행동한다. 문제는 인간이 아는 경험과 지식이 순수하지 못하고 참(진리眞理)이 아니라는 데 있다. 자기가 아는 지식이 참이라 생각하지만 최소한 1/7(14.3%)은 허위이다. 진리에는 예외가 없지만 인간이 만든 법칙에는 예외가 있는 이유이다. 자연에 존재하는 눈에 보이는 만물은 음과 양의 결합체이며 순수성이 6/7(85.7%)을 넘지 못한다. 인성의 마음은 콩깍지로 쌓여지듯 색안경을 끼고 보듯이 있는 그대로 보지 못한다. 따라서 인성의 마음으로 뇌가 의식 활동을 하면 순수하지 못하므로 영혼이 활동하지 못하고 경락이 닫힌다.

마음을 닦는다는 의미는 거울과 같이 있는 존재를 그대로 볼 수 있도록 한다는 의미이다. 맑고 좋고 선한 것만 선별하여 받아들이는 것이 아니라, 탁하고 나쁘고 악한 것마저도 있는 그대로 보고 인정하는 것이다. 맑고 바르고 선하게 승화시키는 것이 도道의 본질이다. 악한 것마저 선으로 생각하면 경락이 열려 사랑의 에너지를 받는다. 용서를 함으로써 용서받기 때문이다.

사랑의 에너지를 받을 수 있는 마음이 하늘마음이며 비운 마음이다. 인간은 마음을 비울 때 에너지 소모가 최소로 이루어져 생성으로 이어진다. 자연법칙은 에너지 소모를 최소로 하는 방향으로 이루어진다. 인간은 마음을 비울 때 경락이 열려 사랑의 에너지를 받는다. 사랑의 에너지를 받아야 기혈순환이 이루어져 혈압도 내려간다. 마음을 하단전에 머물게 할 때만 경락이 열려 사랑의 에너지가 마음을 따라 들어온다. 욕심은 경락을 닫아 기 순환을 막아 소멸로 이어진다.

건전한 취미활동이나 여가활동을 한다

건전한 취미활동이나 여가활동을 하면 경락이 열려 체력이 생성되어 오히려 휴식이 된다. 취미활동이나 여가활동을 할 경우에도 열심히 해 몰두하고 집중함으로서 나를 의식하지 않고 잊을 수 있어야 경락이 열려 효과가 나타난다. 언제나 정신을 차리며 정신과 마음을 집중하며 해야 경락이 열린다. 경락이 열려야 사랑의 에너지를 받아 생체전기를 생산하므로 휴식이 되고 오락이나 기분전환recreation이 된다.

취미활동이나 여가활동을 건전하게 하면 경락이 열려 기 순환이 이루어지므로 체력이 생성되어 삶에 여유가 생기고 마음이 풍요로워진다. 다양한 취미생활이나 여가활동으로 기분 전환을 잘할 수 있을 때 더욱 풍요로운 삶을 살 수 있다. 언제나 정신을 차리며 정신과 마음을 집중하며 해야 경락이 열린다.

취미생활이나 여가활동은 일하는 사람에게 휴식의 수단으로 필요하다. 아무 일도 하지 않고 취미활동이나 여가활동만 한다면 경락이 열리지 않는다. 사랑의 에너지를 받지 못하므로 체력이 소모되며 각종 질병이 몸을 떠나지 않는다. 정년퇴직 후 놀아도 된다는 생각은 잘못이다. 영혼이 활동할 수 있는 일을 해야 사랑의 에너지를 받는다. 결코 취미활동과 여가활동만 하며 여생을 살아가면 안 된다. 창조주의 뜻에 일치하는 일을 함으로써 영혼이 활동하는 삶을 살아야 한다.

호식 위주의 호흡을 한다

호식 위주의 호흡이란 들숨인 흡식을 하지 않고 호식만 되풀이 하는 호흡방식이다. 호식은 흉강의 수축으로 이루어지며 횡격막을 위로 끌어올려 복강에 음압을 생성함으로써 정맥혈 순환을 주도한다. 호식 주기에 상단전으로 들어온 음기가 양기로 바뀌어 하단전으로 내려가면 단번에 생체전기가 되어 체력이 된다. 호식을 유지하는 동안은 단전호흡과 기 순환 주기가 심장의 박동주기와 일치하게 이루어져 생체전기의 생성이 극대화된다. 호식을 유지하는 동안 경락이 열린다는 의미이다. 호식을 강하게 할수록 복압을 늘이며 생체전기를 생산하는 발전기의 피스톤 역할이 커져 생체전기의 생산량이 증가한다. 뇌가 의식 활동을 하지 않도록 수를 헤아리며 호흡을 하면 경락이 닫히지 않아 이를 수식數息이라 한다. '호호 기 순환 운동법'은 근육운동과 심장의 박동과 호식의 주기를 일치시키며 하는 수식數息인 것이다.

심장은 동맥혈 순환을 주도하고, 횡격막의 운동으로 생성되는 호흡펌프 기능이 정맥혈 순환을 주도한다. 심장질환이 심각한 환자라도 호식 위주의 호흡으로 호흡 습관을 바꾸면 심장 기능이 좋아진다. '호호 기 순환 운동법'으로 호식과 근육운동, 심장박동의 주기와 양상을 일치시키면 근육펌프와 호흡펌프의 기능이 일치해 심장의 기능이 극대화되며 좋아진다. 심장의 수축과 함께 온 몸의 근육이 동시에 수축함으로써 근육펌프의 기능을 극대화하고, 심장의 박동과 생체전기의 생성 주기가 일치한 상태에서 호식을 강하게 함으로써 호흡펌프 기능을 추가해 심장의 기능을 강화할 수 있기 때문이다.

횡격막의 수축이 생체전기를 생산하는 발전기의 피스톤 역할을 한다. 횡격막이 수축할 때마다 발전기가 돌아가 생체전기가 생성되는 것이다. 횡격막이 수축할 때마다 힘을 주면 생체전기의 생산량이 증가한다. 심장은 동맥혈 순환을 주도하고 횡격막의 수축이 정맥혈 순환을 주도하므로 횡격막이 수축할 때 힘을 주면 정맥혈 순환을 촉진하여 심장의 기능을 돕는다. 무엇보다 뇌의 혈액순환을 촉진하고 뇌압을 내릴 수 있어 고혈압 환자에게 효과적인 치료법이 된다.

호식은 기운을 상단전에서 하단전으로 내리고 정맥혈 순환을 돕고 혈압을 내리는 역할을 한다. 흡식은 기운을 하단전에서 상단전으로 끌어올리고 동맥혈 순환을 돕고 혈압을 올리는 역할을 한다. 호식을 길게 하면 혈압이 내리고 흡식을 길게 하면 혈압이 오르는 이유이다. 뇌에 혈액순환을 촉진하려면 흡식을 길게 하는 것보다 호식을 길게 하는 편이 안전하며 빠르다.

혈압으로 인한 뇌압을 감소시키려면 뇌로 혈액을 밀어 넣는 것
보다 뇌로부터 빨아내는 것이 효과적이기 때문이다.

숨을 멈추면 기 순환도 멈춘다. 숨을 멈추면 생체전기를 생
산하는 발전기의 피스톤의 작동도 멈추어 생체전기의 생산이
중단된다. 운동을 하더라도 큰 힘을 모으려면 숨을 멈추기 쉽
다. 숨을 멈추면 경락은 닫히고 사랑의 에너지를 받지 못한 세
포는 죽는다. 코를 심하게 고는 순간무호흡증이 심혈관 질환을
악화시키는 이유이다. 최근 연구에 의하면 순간무호흡증이 우
울증으로 이어진다고 한다. 기 순환이 중단되면 활성산소가 생
성되어 뇌세포와 혈관을 이루는 내피세포를 죽이므로 질병과
노화로 이어지는 것이다.

혈압이 높은 사람은 무거운 운동 기구의 이용이나 갑자기 큰
힘을 써야 하는 일은 피해야 한다. 갑자기 큰 힘을 사용하는 것
도 문제가 되지만 자기도 모르게 숨을 멈추기 쉽기 때문이다.
헬스클럽에 가서 무거운 운동기구를 이용해 근력을 키우려 할
때 숨을 멈추는 경우가 많아 문제가 된다.

또한 마음으로 명령을 내려 마음이 하라는 대로 하는 운동은
체력을 소모할 뿐 생성으로 이어지지 않는다. 뇌를 사용해 의
식 활동이 이루어지면 경락이 닫히므로 체력의 소모로 이어지
기 쉬운 것이다. 나이 들어갈수록 체력을 늘리기 어려운 이유

이다. 체력의 증가 속도는 16세에 가장 크고 30세에 피크를 이루다가 점차로 떨어져 40대가 되면 절반 이하로 떨어진다. 경락이 자주 열리지 않는다는 것을 의미한다. 영혼은 나이를 먹지 않고 능력이 떨어지지도 않으므로 천성의 마음으로 영혼을 활동하게 하면 나이와 상관없이 체력을 늘릴 수 있다. 집중하며 손과 발을 이용해 땀 흘려 일할 때 경락이 열려 오히려 체력의 생성이 잘 되는 것이다. 뇌가 의식 활동을 하면 영혼이 활동하지 못하고 경락이 닫힌다.

현대의학에서도 힘을 키우고 근육을 생성하려면 무산소운동을 하라고 한다. 무산소운동을 하라 함은 산소를 이용하지 않는 운동을 하라는 의미이다. 현대의학은 단전호흡을 모르므로 무산소운동의 원리를 모른다. 산소는 흡식吸息으로 들어오므로 흡식을 하지 않고 호식呼息 위주의 호흡을 하며 호식과 심장의 박동 주기를 일치시키는 운동을 하면 무산소운동이 된다. 필자가 개발한 '호호 기 순환 운동법'은 가장 효과적인 무산소운동이다. 호식으로 이루어지는 횡격막의 수축과 근육이 수축하는 주기와 양상을 일치시키면 호흡펌프와 근육펌프가 일치되어 생체전기의 생산주기와 심장의 박동주기가 일치해 생체전기의 생성과 심장의 기능이 극대화될 수 있기 때문이다.

몸을 움직일 때는 근육펌프의 도움을 받기 위하여 심장의 박동과 근육운동 주기를 일치시킨다. 근육이 수축하면 근육 내의 혈액은 심장 쪽으로 흐르고 근육이 이완하면 심장과 먼 쪽으로 흐르기 때문이다. 근육운동을 빠르게 하면 흡식과 호식을 번갈아 하는 호흡으로는 따라갈 수 없으므로 흡식을 중단하고 호식만 하며 운동을 지속한다. 호식 위주의 호흡이 이루어져야 고속 운동이 가능해지는 것이다. 보통으로 하는 걸음걸이라도 근육펌프의 도움을 받기 위하여 걸음걸이는 심장의 박동 주기와 일치하고, 호흡펌프의 도움을 받기 위하여 걸음걸이와 호식의 주기를 일치시킨다. 호식을 해야 횡격막이 생체전기를 생산하는 발전기의 피스톤 역할을 할 수 있기 때문이다. 바로 단전호흡과 기 순환을 심장의 박동 주기와 일치시키는 현상이다.

무산소운동을 한다

무산소운동이란 산소를 공급 받지 않고 하는 운동이므로 기운을 쓰는 기 순환 운동으로 단전호흡을 위주로 하는 운동이다. 무산소운동은 헬스클럽에서 하는 무게 기구를 사용하는 운동 weight training, 역기, 단거리 달리기, 팔굽혀펴기, 빠른 속도로 하는 줄넘기, 테니스나 배구의 서브나 스파이크, 잠수 등으로 근육의 크기와 힘을 증가시킨다. 무거운 역기를 든다든가 힘차게 내리친다든가, 무거운 것을 당기든가 끌어주는 운동으로 큰 힘을 써야 하는 운동이다.

큰 힘을 사용할수록 근육이 사랑의 에너지를 많이 받아 근육이 발달한다. 그러나 현대의학의 무산소운동은 반드시 대뇌의 사용을 필요로 하므로 경락이 닫혀 체력의 생산보다 소모로 이어지기 쉽다. 운동기구를 이용하면서 마음으로 명령을 내리고 마음이 하라는 대로 하는 운동은 체력을 소모할 뿐 늘리지 못한다. 나이 들수록 체력을 키우기 어려운 이유이다. 체력은 생체전기이므로 단전호흡으로 사랑의 에너지인 음기와 양기가 몸으로 들어와 순환해야 생성된다. 천성의 마음으로 영혼이 활동해야 경락이 열려 사랑의 에너지를 받는다. 경락이 열리려면 뇌가 의식 활동을 하는 생각을 하지 않아야 하고 반드시 호식을 유지해야 한다. 호식이 유지되는 동안은 심장의 박동 주기와 단전호흡과 기 순환 주기가 일치하기 때문이다. 호식 위주의 동적인 단전호흡을 해야 가능한 것이다.

고속 질주를 해야 한다거나 위기 상황을 맞으면 심장이 우선 살아남기 위하여 생체전기를 극대화해서 공급해야 하므로 누구나 단전호흡을 위주로 하는 기식氣息을 한다. 기식을 한다는 의미는 호흡펌프 기능을 극대화시킨다는 뜻이다. 흡식을 중단하고 호식만 지속하는 방법으로 심장의 박동과 단전호흡의 주기를 일치하게 함으로서 생체전기의 생산을 극대화시키는 현상이다. 근육의 수축과 호식의 주기와 양상을 일치시켜 근육펌프와 호흡펌프를 일치시킴으로써 가능해진다. 무산소운동은 심장의 박동과 단전호흡의 주기를 일치시키는 운동으로 호식과 흡식을 번갈아 하는 정상적인 호흡을 하며 할 수 없는 운동이다.

대부분 스포츠는 유산소운동과 무산소운동이 함께 이루어진다. 어떤 종목이든 올림픽 기록을 수립하려면 단전호흡의 주기가 심장의 박동 주기와 일치하는 기식을 어느 정도 하느냐에 따라 달라진다. 유산소운동은 호식과 흡식을 유지하며 산소를 공급하며 하는 운동이다. 러닝, 등산, 사이클, 수영 등 지방을 산화시키는 운동을 말한다.

운동을 해도 뇌가 의식 활동을 하는 상태라면 경락이 닫혀 체력을 스스로 생산하지 못하고 체력을 소모한다. 경락이 열린 상태에서 운동을 해야 사랑의 에너지를 받는다. 집중하여 열심히 하면 경락이 열린다. 몰두하여 일을 열심히 하면 경락이 열려 시간 가는 줄도, 배고픈 줄도 모르고 일을 한다. 그래도 피로감이 오지 않고 오히려 보람을 느끼며 기쁨과 행복감을 느낀다. 경락이 열려 사랑의 에너지를 받았기 때문이다.

대부분 무산소운동은 짧은 시간 동안만 가능하다. 산소를 이용하지 않고 하는 운동이므로 호식을 유지하는 시간만 가능해 1~2분을 넘기기 어렵다. 그러나 무산소 운동을 할 때도 의도적으로 흡식을 하지 않고 일정한 박자를 유지하며 호식 위주의 호흡을 지속하면 기의 순환도 멈추지 않는다. 호식과 근육이 수축하는 주기와 양상을 일치시키면 된다. 호식과 근육의 수축과 심장이 수축하는 주기를 일치시키면 된다. 호식 주기에 양경락 영역의 피부의 기공과 경혈로부터 음기가 흡수되어 상단전으로 들어가 양기로 바뀌어 하단전으로 내려가면 단번에 생체전기가 되기 때문이다.

몸을 움직이지 않는 정적인 상태에서 단전호흡과 기 순환은 경락이 열린다 해도 호흡 주기와 일치하여 이루어지고 동적인 운동 시에는 심장의 박동주기와 일치하여 이루어진다. 그러나 필자가 개발한 '호호 기 순환 운동법'으로 운동을 하면 정적인 상태에서도 평상시의 심장 박동 수를 유지하고 원하는 시간 동안 무산소운동이 가능하므로 체력의 생성을 4~5배로 늘릴 수 있다. 극기 훈련을 하지 않고도 쉽게 체력의 생성과 심장의 기능을 극대화할 수 있는 운동법이다.

체력을 스스로 생산하려면 영혼이 활동해 경락이 열려야 한다. 경락이 열려 체력이 소모되지 않고 스스로 생성될 수 있다면 땀을 흘리지 않아도 되는 것이다. 체력은 생체전기이며 뇌와 심장과 근육은 생체전기로 작동된다. 땀을 흘린다는 의미는 영양분을 태우는 에너지 사용이 많아 그만큼 체력이 소모되었음을 의미한다. 혈액순환을 돕고 영양분을 태워 없애기 위한 운동이라면 유산소운동을 해야 한다.

명상이나 참선은 무념무상의 상태로 도달하는 수련을 해야 방법을 터득 할 수 있지만 '호호 기 순환 운동법'은 누구나 할 수 있고 지속 시간을 마음대로 늘릴 수 있어 효과적인 명상법이 되며 누구라도 체력을 늘릴 수 있다. 정적인 단전호흡법이 명상이며 참선이며, '호호 기 순환 운동법'은 심장의 박동과 단전호흡의 주기를 일치시키는 동적인 단전호흡법인 것이다.

삶의 목표를 확실하게 한다

인간은 창조주의 뜻에 일치하는 일을 하기 위하여 태어난다. 인간뿐 아니라 자연과 다른 생명체를 보살피며 돌보는 행위가 사랑이며 창조주의 뜻에 일치하는 일이며 인간이 해야 할 일이다. 사랑을 배우거나 실천하는 일을 하면 경락이 열려 사랑의 에너지를 받는다. 인간은 일을 해야 사랑의 에너지를 되돌려 받는다. 일을 하지 못하면 사랑의 에너지를 받지 못해 소멸로 이어진다. 나이 들어 정년퇴직을 하더라도 해야 할 일이 없다면 이생의 삶을 하직해야 한다. 건강관리나 하고 취미생활만 한다면 경락이 열리지 않는다. 따라서 할 일이 없는 사람이라면 반드시 삶의 목표를 확실히 세우고 실행에 옮겨야 한다. 일이 없는 사람이라면 작은 일이라도 봉사활동을 하면 경락이 쉽게 열리고 사랑의 실적도 올라간다. 일을 할 수 있는 능력이 체력이며 또한 기를 순환시킬 수 있는 능력이다. 일을 한다는 의미는 영혼이 활동한다는 의미이므로 사랑의 에너지를 받아 기순환이 이루어지는 것을 말한다. 일을 하더라도 반드시 창조주의 뜻에 일치하는 일이라야 한다. 창조주의 뜻에 어긋나면 죄를 짓는 행위이므로 경락이 닫힌다.

건강이 좋지 않으면 일을 하기 어려워진다. 막연히 건강이 회복되면 일을 하겠다는 생각은 이루어지기 어렵다. 먼저 삶의 목표를 확실히 세우고 삶의 목표를 달성하기 위하여 체력을 단련하면 경락이 열리며 사랑의 에너지를 받을 수 있다. 운동경기에서도 선수들이 지치면 정신력으로 버텨야 한다고 말한다. 정신을 지배하는 힘의 원천이 기이므로 기가 강한 팀이 이긴다. 결국 정신력이 강한 팀이 이긴다.

노인이 되어 체력이 떨어지면 운동을 열심히 해 근육을 키우고 체력을 늘릴 수 있다. 체력을 늘리는 것은 삶의 목표가 될 수 없다. 따라서 삶의 목표를 먼저 정하고 목표에 도달하기 위하여 체력 단련을 하면 체력이 쉽게 늘어난다. 하는 일 없이 건강관리에만 집중한다면 경락은 열리지 않는다. 취미생활이나 여가활동도 마찬가지이다. 경락이 열리지 않는 상태에서 운동을 하면 체력이 소모되고 부상을 입을 가능성이 커진다. 모든 운동에서 욕심을 내면 운동 효과가 나지 않는다. 경락이 닫히기 때문이다. 건강이 좋아진 다음부터 어떤 일이라도 하겠다는 생각은 이루어지기 어렵다. 사랑은 먼저 주어야 사랑으로 되돌아온다. 작은 일이라도 일을 해야 사랑의 에너지를 되돌려 받으며 체력이 증가한다. 되돌려 받는 사랑의 에너지라야 건강과 젊음, 기쁨과 행복을 누릴 수 있고 영혼이 자라고 양기의 순도를 높인다.

초인적인 능력을 행사하는 사람에서 보듯이 인간은 어떠한 어려운 일도 목표를 확고하게 정하고 긍정적인 마음으로 집중하며 계속 반복하여 연습하고 노력하다 보면 '무의식의 능력 단계'에 도달한다. 경락이 열려 사랑의 에너지를 받아 체력을 증가시키고 할 수 없던 일이 가능해진다. 반드시 목표를 갖고 꾸준히 집중을 하며 한 우물을 파야 한다. 그 분야의 달인도 되고 전문가도 될 수 있고 영감도 얻는다. 지 · 덕 · 체나 진 ·

선·미를 추구하는 분야에서 모두 가능하다. 인간 사회가 발달하게 되는 이유이다. 나이와는 상관이 없다. 영혼의 능력은 변함이 없고 영혼은 나이를 먹지 않고 노화하지 않으며 양기의 순도를 달리할 뿐이다.

처음에는 의도적으로 수련에 임하지만 지속적으로 반복하여 몰두하고 집중하면 삼매경에 빠지고 경락이 열린다. 올림픽 선수들의 기록이 단축될 수 있는 이유이다. 몸을 단련하여 무술이 달인의 경지에 도달하는 것도 땀 흘리며 반복하여 단련한 결과이다. 단전호흡을 수련하여 경지에 도달하면 기식氣息에 이르는 현상도 동일하다.

목표를 세우고 아무리 어려운 일이라도 몰두하여 자기를 잊고 열심히 하면 무의식의 능력 단계에 이르고 경락이 열린다. 인간의 영혼은 나이를 먹지 않고 능력이 떨어지지 않아 나이에 상관없이 영혼은 활동한다. 영혼이 활동하므로 신의 경지에 도달한다고 말한다. 신神의 경지는 천성의 마음에 도달하는 경지이다. 영혼이 활동하므로 사랑의 에너지를 듬뿍 받아 가능하지 않던 일이 가능해진다. 건강과 장수를 누리다 죽으면 영생을 얻는다. 사랑의 에너지를 지속적으로 받아 양기의 순도가 상승되기 때문이다.

10
체력과 행복을 키우는 인간의 삶

인격의 도야

생각을 훈련하는 것이 지상의 삶이다. 자기의 생각만으로 판단할 것이 아니라 상대방의 입장도 배려하며 판단해야 한다. 자기의 경험과 지식만을 믿고 의존해 살면 잘못을 저지르기 쉽다. 나이 들어 체력이 떨어질수록 옹고집이 되기 쉬우므로 옹고집이 되지 않아야 한다. 나이가 들수록 인자하고 너그러워져야 한다. 자기가 알고 있는 경험과 지식을 기준으로 평가하고 받아들이므로 보는 눈이 콩깍지가 씌워지듯 가려져 사물을 있는 그대로 볼 수 없게 된다. 마음이 닦여지지 않으면 색안경을 끼고 보듯이 있는 그대로 보지 못하게 되어 판단을 제대로 하기 어려워진다. 인성의 마음일 때 경락이 닫히는 이유이다.

인격을 닦는다는 의미는 보는 마음이 순수해져 있는 그대로 보는 능력이 커지도록 하는 것이다. 인성의 마음이 순화되어 천성의 마음으로 바뀌어야 한다. 천성의 마음은 순수하고 참된 마음으로 창조주의 마음이므로 하늘마음이며 사랑의 마음이다. 천성의 마음이라야 영혼이 활동할 수 있어 사랑의 에너지를 받아 영혼의 양기의 순도 차원이 높아진다. 매사를 사랑의 눈으로 본다면 악이라도 선으로 갚아 사랑의 에너지를 되돌려 받을 수 있는 것이다. 용서함으로써 마음의 평화를 얻기 때문이다. 속은 사람은 살 수 있어도 속인 사람은 살기 어려워지는 것이다. 맞은 사람은 발을 펴고 자고 때린 사람은 오그리고 잔다고 하는 이유이다.

영혼은 사랑의 에너지를 먹고 자라고 성숙하며 사랑과 양기의 순도를 높인다. 영혼이 자라고 성숙하지 못하면 정신과 육체의 질병으로 이어진다. 사랑의 에너지가 공급되지 못하면 활성산소가 생성되어 뇌세포와 혈관을 이루는 내피세포를 죽이므로 질병과 노화로 이어진다. 모든 생각은 결과를 가져온다. 긍정적으로 생각하면 천국과 가까워지고, 부정적으로 생각하면 지옥과 가까워진다. 언제나 긍정적인 질문을 하도록 노력하고 훈련되어야 한다. 긍정적으로 질문을 해야 긍정적인 반응으로 답이 나오기 쉽다. 생각은 말이 되고, 말은 행동으로 나타나며, 행동은 습관이 되고, 습관은 인격으로 바뀌며, 인격은 인생이 된다. 생각은 곧 인생이 된다.

이생의 생각은 저 생의 삶이 된다. 전생의 삶의 결과가 이생의 삶이며, 이생의 삶의 결과는 저 생의 삶이 된다. 지상의 생각은 영계에서 현실로 난타난다. 죽으며 천국을 생각하면 천국으로 가고, 지옥을 생각하면 지옥으로 간다. 지상의 삶이 천국의 삶이면 천국으로 가고, 지옥의 삶이면 지옥으로 간다. 지상에서 행복을 누린 영혼만이 천국으로 간다. 인과법칙이며 인과응보이다.

영계나 천국은 마음의 세계이며 정신의 세계이다. 인간이 생각하는 천국과 지옥은 정신의 세계이다. 생각하는 대로 갖는 세계이다. 이 세상살이 하루하루는 저 세상살이 마련이다. 저 세상과 이 세상은 별개의 세계가 아니다. 큰 하나의 세계의 두 가지 다른 부분이다. 이 세상은 눈에 보이는 한시적인 음의 세상이며, 저 세상은 눈에 보이지 않는 영원한 양의 세상이다. 전생의 삶의 인과응보가 이생의 삶이며, 이생의 삶의 인과응보로 저 생의 삶이 된다. 죽음이라는 이 세상살이의 코너를 돌아가면 영원한 저 세상의 삶이 열리는 것이다.

영혼이 사는 양陽의 세상이 천국이며 사랑과 양기의 순도 차원이 높은 영이 살 수 있는 세상이다. 그러므로 가끔 삶을 되돌아보고 사랑의 실천 실적을 평가할 필요가 있다. 인간은 언제나 바른 마음과 자세로 바른 삶을 살아야 한다. 사랑의 에너지를 받을 수 있어 영혼의 사랑과 양기의 순도 차원이 높아져 영혼이 영생을 누릴 수 있기 때문이다. 후회하지 않는 삶을 살고 좋은 추억을 가급적 많이 갖도록 함이 현명하다. 지상의 삶이 천국의 삶으로 이어지기 때문이다.

참교육

과학이 발달하고 생활이 풍요로워짐에 따라 물질만능 시대가 되어 교육 방법도 크게 달라지고 있다. 고등교육을 받고 해외 유학을 마쳐도 적당한 일자리를 얻는 것이 쉽지 않다. 어렵게 직장을 구해도 평생직장이라 생각하기 어려운 시대가 되었다. 수명은 길어지는데 적당한 일자리는 부족해지므로 노후가 불안해진다. 잘못된 교육은 국민을 건강과 행복과 멀어지게 한다. 근본적이며 원론적인 면을 생각해 볼 필요가 있다.

우리의 일반적인 교육 목표는 홍익弘益인간을 만들기 위해

지智 · 덕德 · 체體를 키우고 진眞 · 선善 · 미美를 구하고 의衣 ·
식食 · 주住를 배우는 데 있다. 홍익인간이란 널리 인간 세계를
이롭게 함이다. 인간이 태어나고 공부를 해야 하고, 일을 하며
살아야 하고, 바르고 선하게 살아야 하는 이유를 알리고 가르쳐
야 한다. 바른 마음과 자세, 삶이 무엇인지를 우선적으로 가르
쳐야 한다. 바른 마음과 삶을 살면 경락이 열려 사랑의 에너지
를 받고, 바른 자세라야 순환이 이루어져 건강과 장수를 누릴
수 있기 때문이다.

인간의 삶의 목표는 행복을 누리는 것이다. 행복을 누리려면
사랑을 배우거나 실천하는 일을 하여 사랑의 에너지를 되돌려
받아야 한다. 되돌려 받는 사랑의 에너지의 양이 많을수록 행
복을 누린다. 사랑이 무엇인지를 우선적으로 가르쳐야 한다.
창조주의 몸인 인간뿐 아니라 자연과 다른 생명체를 보살피고
돌보는 일이 사랑이며 인간이 해야 할 일이다. 창조주의 몸과
일체가 되고 하나가 됨이 사랑이다. 내 몸과 마음과 정신이 일
체가 되어도, 다른 인간과 일체가 되고 하나가 되어도, 자연과
다른 생명체와 일체가 되고 하나가 되어도 사랑의 에너지를 받
는다. 사랑의 에너지를 되돌려 받는 방법을 가르쳐주는 것이
교육의 목표가 되어야 한다.

교육에 앞서 인간이 인간답게 살아가려면 우선 건강해야 한

다. 태어난 후 성장과정에서 우선적으로 해야 하는 일은 성장 후에 큰일을 잘할 수 있도록 몸과 마음과 정신을 키워야 한다. 그렇게 하려면 체력을 키우는 것이 우선이다. 체력은 사랑의 에너지를 받을 수 있는 능력이며 사랑을 실천할 수 있는 능력이다. 사랑을 실천하는 일을 하면 사랑의 에너지를 되돌려 받는다. 되돌려 받는 사랑의 에너지도 일을 하면서 소모한 체력에 해당하는 만큼 받는다. 따라서 자신을 먼저 사랑하여 체력을 키우는 것이 우선이다.

체력을 키워 자신감自信感과 자존감自尊感을 키워야 한다. 자신감과 자존감이 커져야 일을 소신대로 할 수 있고 남을 믿을 수 있고 도울 수 있으며 존중할 수 있게 된다. 건강이 나쁘다면 자기 몸을 관리하는 삶을 살기에도 어려움을 겪는다. 나누고 베푸는 삶은 생각조차 하지 못한다. 풍요로운 삶을 살아가게 하려면 사랑의 에너지를 받는 방법을 가르쳐야 한다. 또한 인성을 맑게 하는 교육을 받아야 한다. 영혼이 활동해 사랑의 에너지를 받는 방법을 배우고 익혀야 한다.

체력을 키우지 못하면 일하기 어려울 뿐 아니라 건강이 쉽게 나빠지기 쉬우므로 많이 배워도 써먹을 수가 없다. 체력의 증가 속도가 가장 큰 16세까지는 체력을 키우는 교육이 우선되어야 한다. 체력이 뇌와 심장과 근육의 작동 능력이기 때문이다. 성인이 되기 전에 해야 할 일 중 가장 중요한 것은 체력을 키우는 일이다. 일을 잘 하려면 우선 건강하고 체력이 있어야 한다. 뇌와 심장과 근육이 체력인 생체전기로 작동되기 때문이다.

성장기에는 체력이 증가할수록 뇌와 심장의 기능도 좋아지고 발달하며 혈관도 발달한다. 체력을 키우기 위하여 삶의 목적과 영혼의 존재 이유를 배워서 알아야 한다. 영혼이 활동해야 사랑의 에너지를 받아 체력을 만들 수 있기 때문이다. 창조주의 뜻에 일치하는 바르고 선한 일이 무엇인지를 배워야 한다. 사랑이 무엇인지를 배워야 한다. 평생 살아가며 자기가 가장 좋아하며 잘할 수 있는 일을 찾고 배워야 한다.

체력은 정신력이며 체력을 키우려면 잘 뛰놀아야 한다. 어릴 때부터 각종 스포츠나 운동을 하며 몸을 많이 움직여 주어야 한다. 각종 스포츠나 여가생활, 취미생활도 하며 휴식 방법을 배워야 한다. 휴식하는 법을 잘 배워두어야 나이 들어 힘든 일을 하면서도 체력을 보전하기 수월해진다.

요즈음 어린이뿐 아니라 젊은이들의 체력이 떨어지는 근본 원인은 체력이 먹는 영양분에서 오는 것으로 가르치고 알고 있기 때문이다. 잘만 먹이면 잘 커줄 것으로 생각한다. 잘 먹이면 체력도 생기며 클 것으로 생각한다. 체력이 모자라면 본인이 커서 시간 날 때 운동을 하면 될 것으로 생각한다. 공부는 나이와 상관없이 할 수 있지만 체력을 키우는 일은 체력의 증가 속도가 가장 큰 16세 이전 어릴 때부터 반드시 우선적으로 해야 한다. 체력을 키우는 만큼 정신력도 강화되고 자신감이나 자존감도 커진다.

영혼을 활동하게 해 경락을 여는 방법을 배워야 한다. 청소년기에는 체력을 늘리는 것이 가장 중요한 일이다. 더군다나 혈관의 발달과 분화는 16세 이전에 시켜놓아야 한다. 16세 이후에는 혈관의 노화가 시작되므로 혈관을 발달시키지 못하면 성인병이 조기에 나타나기 때문이다. 혈관을 발달시키려면 사랑의 에너지를 받을 수 있는 환경을 만들어 주어야 한다.

체력을 키워야 뇌와 심장과 근육의 기능도 좋아진다. 인간의 체력의 증가 속도가 가장 큰 나이는 16세이다. 이 나이를 이팔청춘이라 한다. 지적 성숙도가 이 나이에 정점에 이른다. 이 나이에 성호르몬의 분비량도 가장 크다. 체력의 증가 속도가 가장 큰 시기에 몸과 마음과 정신의 성장이 잘 이루어지고 뇌와 심장과 근육과 혈관이 가장 발달한다는 의미이다.

인간의 이성理性이 발달하는 시기는 여자는 7세, 남자는 8세라 하며 이는 생애의 한 주기가 된다. 남녀의 생의 주기가 다르므로 나이 들수록 건강 상태에서 차이가 많아진다. 통계적으로 여자가 남자보다 장수하지만 성장과 노화는 여자가 더 빠르다.

다섯 번째 주기인 여자는 35세, 남자는 40세가 되면 생리적 건강 상태가 서로 비슷하다.

사춘기라고 하는 생애의 두 번째 주기에 이성이 가장 발달하며 체력도 증가하므로 이 시기에 도달하기 전 어려서부터 사랑의 에너지를 듬뿍 받도록 지도를 잘해 주어야 한다. 인성과 체력을 키우는 일이 우선되어야 한다. 인성의 마음이 자라지 못하고 천성의 마음을 유지하도록 처음부터 지도해야 한다. 천성의 마음인 하늘마음이라야 사랑의 에너지를 받을 수 있기 때문이다. 초·중등 교육이 중요한 이유이다. 체력의 증가 속도는 16세에 가장 크지만 체력은 30세에 정점에 도달하고 그 이후에는 감소하여 40대에 이르면 절반 수준으로 떨어진다. 체력이 떨어지고 생성되지 못하면 수명을 다 하게 된다.

현대의학에서는 크게 문제 삼고 있지 않지만 혈관의 발달과 노화현상은 인간의 삶에 지대한 영향을 준다. 혈관을 발달시키지 못하고 성장하면 혈관의 노화가 빨리 온다. 성인병도 조기에 나타나고 활기찬 활동을 하기 어려우며 수명이 단축되기 쉽다.

혈관은 체력의 증가 속도가 정점에 이르는 16세까지 분화하고 발달한다. 16세 이후에는 노화가 온다. 현대의학은 그 이유를 알지 못하는데, 16세 이후에는 뇌가 의식 활동을 하는 시간이 많아져 경락이 닫히는 생활을 하기 쉽기 때문이다. 뇌를 써

하면 혈관의 노화가 일찍 진행되어 일을 할 수 있는 기간이 단축된다. 한참 일할 나이에 건강 문제로 고생을 하고 수명을 다할 수도 있다는 의미이다.

아무리 머리가 좋고 정신력이 강해 일을 잘한다 해도 혈관이 노화하면 질병에 시달리고 수명의 단축은 피할 수 없다. 일찍 생을 마감하는 것도 모두 자기의 책임이다. 요즈음은 어린 나이에도 뇌졸중이 오고 중풍을 맞는다. 따라서 혈관을 발달시킬 수 있는 나이에 체력을 키우는 것이 우선이다. 살아가면서 뇌와 혈관이 노화하지 않도록 어려서부터 경락이 열리는 마음과 삶을 유지해야 한다. 인성의 마음이 자라지 못하고 천성의 마음이 유지되는 삶을 살게 해야 한다. 순진하고 천진난만함이 유지되어야 한다.

요즈음은 해외 유학이 교육의 일상 과정이 되고 있다. 해외 유학생들이 겪는 어려움 중 가장 큰 요인은 체력이 모자라는 것이다. 한국에 있더라도 청소년들은 대부분 체력을 키우지 못하며 성장한다. 도시에서 살아가므로 천방지축 뛰어놀 친구도 공간도 시간도 없다. 좁은 공간이나마 자동차에 빼앗기고 뛰놀 곳이 별로 없다. 뛰노는 어린이를 보기가 어려울 정도이며 걸어 다니는 모습조차 발견하기 어렵다. 집안에 있어도 여럿이 아니고 홀로 살아가므로 움직임이 적고 바른 자세를 유지하기도 어렵다. 아파트라는 주거환경은 뛰놀 수 없게 만든다. 있는 집 어린이는 어디를 가나 자동차로 모신다. 부잣집이 몰려 있는 동네에 가면 아이들이 보이지 않고 걸어 다니는 사람을 보기가 어렵다.

초등학교의 운동장이 협소해져 100m달리기는 해보기도 어렵다. 할 수 있는 어린이 수 또한 날로 감소한다. 학원에 다니느라 스포츠나 취미생활 등 휴식을 취하고 체력을 키우는 방법을 대부분이 모르고 성장한다. 몸을 움직여 운동을 할 시간에는 학원에 가야 하고 나머지는 컴퓨터나 게임, 스마트폰에 빼앗긴다. 컴퓨터 중독이나 PC방은 비만과 함께 운동 부족과 체형의 변형을 부추긴다.

요즈음 청소년들은 바른 자세를 유지하지 못해 너무 일찍 체형의 변형을 초래하는 경우가 증가한다. 비만까지 가세하여 피로가 쉽게 오고 허리가 아파온다. 체력이 부족하다는 의미이다. 체형의 변형은 기 순환을 막아 노화의 주범이며 수명을 단축하는 삶을 산다는 징조이며 전구 증상이므로 가볍게 생각하면 안 된다.

요즈음 어린이들은 사랑의 에너지를 받아 체력을 키울 수 있는 기회를 박탈당하고 있다. 일찍 약아져 약삭빠른 삶을 살아간다. 순진하고 천진난만함이 일찍 사라진다. 귀하게 자라며 사랑을 받기만 하고 주는 것을 배우지 못한다. 자기의 이익을 챙기려 하고 요령을 피우고 이기적이며 욕심이 커진다. 일찍 약아지는 것이다. 양심과 이성이 자라지 못하고 정직함이 부족해지며 속임수나 거짓말이 늘어간다. 오직 공부만 잘하면 되고 다른 것은 하지 않아도 된다고 생각한다. 부모의 생각이 더하다. 공부만 잘하면 편협한 인간이 되기 쉽다. 몸과 마음의 성장을 극대화해야 할 사춘기를 조기교육으로 허비하고 천성의 마음을 유지하지 못하고 인성의 마음을 키우는 데 시간을 다 보낸다.

우리의 어린이들은 일찍부터 경락이 닫히는 삶에 빠지기 쉽다. 이웃은 경쟁의 대상이며 친구들과 뛰논다는 것은 생각할 수도 없는 실정이다. 공부해야 한다는 스트레스를 지속적으로 받으며 커간다.

어린이들은 근심이나 걱정 없이 함께 나누고 즐거워하고 재잘거리고 경쟁적으로 뛰놀아야 한다. 어린이는 경쟁적으로 뛰놀 때 친구도 생기고 이웃과 협력을 배우고 체력이 생성된다. 어릴 때 친구는 평생 간다. 이웃은 경쟁의 대상이 아니며 협력의 대상이다. 서로 돕고 나누고 베푸는 삶을 사는 훈련을 해야 한다. 우리의 현실은 어려서부터 서로 돕고 협력하는 훈련 기회를 누리지 못한다. 어린이들은 싸우다가도 바로 잊고 다시

즐겁게 뛰논다. 순진하므로 용서가 쉽게 이루어진다는 의미이
다. 용서하는 것도 훈련인 것이다. 이러한 훈련 기회가 많을수
록 성격이 원만해지는 것이다.

어린이들 세계에서 부모의 보살핌은 어린이의 삶을 감독하
고 감시하는 것으로 인식되는 경향이 커간다. 누구도 믿지 못
하고 서로 믿고 나눌 수 있는 친구도 적다. 남을 믿지 말라고
역행하여 가르친다. 가족 간의 대화나 함께 즐길 수 있는 시간
이 부족하다. 바쁜 부모는 자식에게 사는 법을 지도하고 삶에
대한 모범을 보여줄 시간이 부족하다. 학교에서도 집에서도 양
심과 이성을 배우거나 훈련하지 못한다. 사랑과 용서를 훈련하
지 못한다. 사랑을 나누고 베풀고 서로 믿는 마음이 자라기 어
렵다. 순진하고 천진무구한 어린이는 보기가 어렵고 똑똑한 어
린이가 너무 많다. 배우는 것이 많아 어른들보다 더 많이 안다
고 생각한다. 자기들이 알고 있는 경험이나 지식을 어른들이
모르기 때문이다. 나이 든 사람의 가르침에 반발하는 청소년들
이 늘고 있는 실정이다.

사랑의 에너지 결핍은 몸과 정신과 마음의 정상적인 성장을
막고 마음에 반발을 일으켜 폭력과 범죄로 나타나기도 한다.
학교 폭력이 난무하고 폭력이 조직화되고 왕따 현상이 빈발한
다. 성장할 나이에 사랑의 에너지를 받지 못함은 끔찍한 일이

다. 천진난만하고 순박하게 사랑의 에너지를 마음껏 받아야 될 나이에 사랑의 에너지를 받지 못하는 환경을 만들어준 것은 어른들의 탓이며 책임이다.

모든 현상은 공교육이 제 기능을 하지 못하기 때문이다. 어린이들이 정상적으로 성장하지 못한다면 나라의 장래와 희망을 기대하기 어려워진다.

어린이는 어린이답게 성장해야 한다. 어린 나이부터 경락이 닫히는 삶을 살아가면 뇌와 혈관을 발달시키지 못해 성인병이 조기에 나타난다. 부모는 사업에 성공하더라도 자식을 제대로 키우고 지도하지 못하면 성공의 의미가 없어진다. 자식이 부모의 분신이며 부모는 자식의 스승이기 때문이다. 삶에서 성공을 이루더라도 자식을 잘 키우는 것보다 실적이 크기는 어렵다. 순수하고 절대적인 사랑의 실천이 실적이기 때문이다. 자식을 버리는 것만 죄가 되는 것이 아니라 지도를 잘해 주지 못하는 것도 죄가 된다. 자식이 커가며 인성의 마음을 자라지 못하게 하고 천성의 마음을 자라게 해 사랑의 에너지를 잘 받도록 해주는 것이 우선이다. 어려서는 잘 뛰놀아 체력을 우선적으로 키워야 한다. 요즈음에는 장애를 겪으며 살아가는 어린이도 많으며 젊은이들도 체력이 떨어지므로 각종 질병에 시달리며 약에 의존하며 살아가는 사람들이 증가한다.

사회생활을 잘하고 경쟁사회를 살아가려면 종합적인 인성을 길러야 한다. 몸과 정신과 마음을 고르게 발달시켜야 한다.

지·덕·체를 키우는 것이 우선이며 진·선·미를 배우고 경험하고 즐기는 방법을 연습해야 한다. 진·선·미를 느끼며 감탄할 수 있고 즐길 수 있어야 사랑의 에너지를 받기 쉬워진다. 창조주는 사랑이며 진·선·미 자체이므로 창조주의 뜻에 일치하는 일이 사랑을 베풀고 나누며 참되고 선하고 아름다운 삶을 살아가는 것이다. 진·선·미를 배워야 그 의미를 알게 되고, 진·선·미를 느끼고 감동할 수 있어야 사랑의 에너지를 되돌려 받기 쉬워진다. 창조주의 몸인 인간뿐 아니라 자연과 다른 생명체를 배우고 이해하는 마음을 키워야 사랑의 에너지를 받기 쉽고 삶을 풍요롭게 한다.

지·덕·체와 진·선·미, 의·식·주와 관련된 경험을 몸으로 직접 해야 한다. 머리로 하는 배움은 오래 기억하지 못한다. 땀 흘리며 몸으로 경험한 기억이 오래간다. 인간이 살아가려면 먹을 것, 입을 것, 살 곳 등 삶에 필요한 각종 도구와 시설이 필요하다. 이들을 직접 체험하며 배워야 한다. 모든 과정 하나하나는 직업뿐 아니라 삶의 여유와 풍요로움에 영향을 준다. 모두 인간의 몸에서 기를 흡수하고 순환시키는 데 영향을 주기 때문이다.

쳐 주어야 한다. 인성의 마음이 자라지 않고 천성의 마음을 유지하도록 경락이 열리는 삶을 살아가도록 처음부터 가르쳐야 한다. 사랑을 나누며 협력하며 베풀며 즐거움을 느낄 수 있게 처음부터 가르쳐야 한다. 함께 나누고 즐거워하고 재잘거리고 경쟁적으로 뛰놀게 해야 한다.

어렸을 때부터 어른이 되는 연습을 시켜야 한다. 스스로 생각하는 법을 배워야 하고 자기의 행동에 책임을 지는 연습을 해야 한다. 커서 배우면 될 것이라는 생각은 잘못이다. 배우고 경험하며 습관이 만들어지기 때문이다. 세살버릇이 여든까지 간다. 처음부터 올바르게 가르치는 것이 잘못된 습관을 고치는 것보다 훨씬 수월하다.

처음부터 남에게 피해가 가는 일을 하지 않도록 가르쳐야 한다. 처음부터 죽을 때까지 모두 함께 사이좋게, 평화롭고 아름답게, 착실하고 성실하게 살아가는 것이 몸에 배도록 해주어야 한다. 천진난만하고 순진한 마음이 오래 지속되도록 어른들이 지켜주어야 한다. 천진난만한 어린이는 싸우다가도 금방 화해하고 잘 논다. 용서가 이루어진다는 의미이다. 순진한 마음이라야 용서하기가 수월해진다. 용서하지 않고 마음에 쌓아두면 경락을 지속적으로 닫게 하므로 사랑의 에너지를 받지 못한다.

미국이나 캐나다에서는 십대the teens가 될 때까지 집에서나

학교에서 독자적인 활동을 하지 못하게 하고 성인의 보호를 받게 한다. 만 12세가 지나야 십대가 된다. 초등학교에서는 하교 시에 나가는 문을 좁게 하고 저학년부터 고학년 순으로 한 줄로 내보낸다. 질서와 순서를 지키는 훈련을 하는 것이다. 저학년 학생은 보호자에게 직접 인도한다. 보호자가 없으면 교실로 되돌아간다. 학교 근방에는 오염 시설뿐 아니라 문방구도 없다. 오염되지 않고 천진난만한 마음이 오래 지속될수록 배려한 것이다.

사랑을 배우고 자기의 사랑하는 마음을 먼저 키워야 한다. 약아빠지게 살아가는 법을 배우면 안 된다. 사랑을 받는 연습만 하면 욕심만 늘어난다. 욕심이 늘어나면 이성을 잃기 쉬워진다. 나누고 베푸는 연습을 해야 한다. 사랑을 잘 하려면 사랑하는 법을 배우고 연습도 해야 한다. 존경을 받으려면 존경하는 법을 배워야 한다. 효도를 받으려면 효도하는 방법을 가르쳐야 한다. 자식에게 효도를 가르치려면 부모가 자기 형제자매나 부모에게 효도하는 모습을 직접 보여주어야 한다. 아이들은 어른을 따라 배운다. 부모 형제가 가장 큰 스승이며 가정이 최초의 학교이다. 다른 사람을 위하여 자기가 가장 잘할 수 있는 일을 찾는 연습을 해야 한다. 사랑을 배우는 것이 사랑을 실천하는 것보다 중요하다. 선하고 바른 일이 무엇인지를 배우고 배려하고 베푸는 방법을 몸에 익혀야 한다.

성장 과정과 초·중등 교육과정에서 가급적 여러 가지를 경험하게 해서 남을 위하여 자기가 가장 좋아하고 잘할 수 있는 분야를 찾고 개발하는 교육이 우선 되어야 한다. 보람을 느끼며 일할 수 있는 분야를 찾아야 한다. 그래야 가장 효과적이고 성공 가능성이 높다. 소질과 적성을 찾는 것이다. 학교 교육은 가정에서 하기 어려운 교육을 대행한다. 책을 통하여 지식을 배우는 교육은 30%, 체험 및 체육 교육이 70%를 유지해야 공교육이 바로 선다. 요즈음 농촌 벽지에 있는 학교에 대한 관심이 느는 이유이다.

자연을 직접 느끼며 배우고, 꽃도 길러보고, 채소도 가꾸어 보고, 망가진 물건을 고쳐도 보고, 생활용품을 개량하거나 발명도 해보고, 애완동물도 키워보고, 몇 개의 악기도 다루어보고, 여러 가지 법규를 지키는 연습도 하고, 여가활동과 취미활동을 배우고, 봉사활동도 해 보고, 각종 스포츠도 배워보고, 국내외 여행도 해보고, 의·식·주와 지·덕·체, 진·선·미와 관련해 배우고 경험할 것이 나이에 따라 너무나 많다. 창조주의 뜻에 일치하는 일이 얼마나 많은가를 경험할 필요가 있다. 시험 성적을 잘 얻는 것은 의미가 없다. 결코 학원에서 이루어질 수 있는 일이 아니다. 지식을 얻기 위한 배움은 개인적으로

도 가능하고 고등교육이나 평생교육으로 얼마든지 가능하다.

초 · 중등 과정의 교육이 가장 중요하므로 중학교는 단지 고등학교 진학을 위한 중간단계로 취급되면 안 된다. 초등학교 시절부터 중등학교 과정이 한 개인의 진로를 결정하는 가장 중요한 단계이므로 학생의 학습능력, 성향, 취미에 따라 적성을 파악하고, 진로를 선택하고 교과과정을 통해 개인의 능력을 가늠할 수 있도록 지도해야 한다. 개개인이 자유롭게 진로를 개척하고 제 몫을 하며 자기의 삶을 행복하게 살 수 있는 능력을 기르는 과정이 교육을 통해 이루어지고 존중되어야 한다.

우리의 교육은 체험으로 배우는 비율이 너무 낮아서 문제가 크다. 원리와 용법을 배우지 않고 시험 성적을 위해 머리로 하는 교육은 써먹기 어렵고 곧 잊어버린다. 창의력을 키우기도 어렵다. 체험 교육을 통하여 남보다 더 잘하는 부분을 찾는 교육이 되어야 한다.

공부 잘하는 학생보다 착한 학생에게, 다른 사람을 돕고 베푸는 일을 잘하는 학생에게, 봉사하고 지도력이 있는 학생에게, 진취적인 학생에게, 사랑의 에너지를 되돌려 받을 수 있는 능력이 큰 사람에게 상을 주어야 한다. 어제보다 오늘 더 잘하는 학생을 칭찬하는 교육이 되어야 한다.

미국의 고등학교에서는 한 학생을 선발해 대통령이 직접 서명한 표창장을 받게 한다. 미국 사회를 이끌어갈 젊은이를 일찍부터 발굴하고 칭찬하고 용기를 주고 책임을 부여하는 것이다.

대학은 전문 분야에서 전문가를 양성하고 지도자를 키우는 교육을 소신대로 할 수 있어야 한다. 가능성이 큰 사람을 소신대로 선택할 수 있어야 한다. 시험 성적 위주의 선발을 강요하므로 공교육이 무너지게 된 것이다. 근본적인 원인은 일률적인 시험 성적 위주의 교육에 있다. 독일의 교육 방법이나 미국이나 캐나다의 대학의 신입생 선발 과정의 내면을 보아야 한다. 입학하기보다 졸업하기가 어려운 내막을 알아야 한다. 현장실습이 직장과 연결되도록 교육과정도 산학협동으로 이루어져야 한다. 보람을 느끼며 생애에 최고로 공부하고 최선을 다해 연구하는 대학 시절이 될 수 있어야 한다.

자녀를 키울 때 부모는 내 자식이 남과 경쟁에서 이겨야 한다는 강박적인 생각은 버려야 한다. 그보다 내 자녀가 어른이 된 후 남을 위하여 훌륭한 일을 할 수 있는, 진정한 현인이 되기 위한 휴먼교육을 해야 한다. 내가 남을 위할 때 남도 나를 위한다. 나누고 협력하며 상생하는 법을 가르치고 교육의 이념이 되어야 한다. 그러면 자연히 뭉쳐지고 협력이 되어 큰 힘이 생긴다. 교육정책은 이러한 철학과 이념 속에서 실시되어야 한다.

내가 남보다 더 잘하는 방법을 찾는 교육이 아니라 내가 남을 위하여 잘해 줄 수 있는 방법을 찾는 교육이 되어야 한다. 남보다 잘하는 사람보다 어제보다 잘하는 사람을 칭찬하는 교육이 되어야 한다. 상대편 입장에서 보는 눈이 뜨여야 한다. 다른 사람을 배려하고 현명하게 일처리를 잘하도록 훈련해야 한다. 영혼의 존재 이유를 알게 하는 교육이 되어야 한다. 양심과 이성대로 사는 방법을 가르쳐 주어야 한다.

체력이 늘어나야 젊고 활기찬 활동이 가능해지고 삶의 목표를 달성하기가 쉬워진다. 다른 사람에게 행복을 선사한 만큼 나의 행복으로 되돌아오고 삶의 실적이 됨을 가르쳐야 한다. 수단과 방법을 가리지 않고 이기는 법만 가르칠 때 희망은 보이지 않는다. 그렇게 배운 사람은 수단과 방법을 가리지 않고 재물을 모으려 한다. 국내에서는 물론 해외에 나가 능력을 발휘한다 해도 국제 사기꾼으로 전락하기 쉽다.

취학하기 전 아동의 교육이나 초등교육에서 질서를 유지하며 차례를 지키는 훈련을 해야 한다. 인간이 서로 협력하며 상생하도록 만들어진 법을 지키고 존중하는 연습을 해야 한다. 교통법규를 지키고 공중도덕을 지키는 훈련을 해야 한다. 남에게 피해를 주지 않고 차례를 지키는 훈련을 해 양심과 이성을 키워야 한다. 양심과 이성을 키우는 교육이 우선되어야 한다. 처음부터 남에게 피해를 주지 않는 연습을 하고 방법을 가르쳐신을 차리지 못하면 코를 베어가는 세상이니 사랑의 운동이 전개되어야 한다. 영혼의 존재 이유를 처음부터 다시 가르치는 방법이 빠르다. 개인의 힘으로는 어렵고 분위기를 조성하고 사회 전체가 나서면 가능해진다.

부모는 자식의 직업에 대하여 자신들의 경험을 제대로 전달해 줄 수 있어야 한다. 부모의 입장이 아니라 선배의 입장이 되어야 한다. 부모가 원하는 일자리가 아니라 자식에게 성공률이 가장 높다고 생각되는 무엇보다 자식의 적성에 가장 알맞은 일을 선택하는 것이 우선이다. 적성은 머리로 알 수 없고 몸으로 직접 경험을 해 보아야 한다. 그렇게 하려면 어려서부터 여러 가지를 다양하게 경험시키고 자식의 적성을 파악할 수 있어야 한다. 이는 부모로서 가장 중요한 책무이다. 부모가 자식의 적성을 모른다면 다른 사람은 더욱 알기 어렵다. 또한 자기가 한 일에 대하여 책임을 지는 습관을 들여야 한다. 부모와 자식 간에는 서로가 이 세상에서 가장 믿을 수 있는 존재가 될 수 있어야 한다.

여러 가지 일을 경험하고 배울 수 있어야 자기의 적성을 옳게 파악할 수 있다. 시험성적이나 머리로 하는 교육으로 적성을 파악하기는 어렵다. 직접 몸으로 경험하는 게 가장 빠르다. 즐거운 마음으로 보람을 느끼며 다른 사람들보다 더 잘할 수 있는 일이 적성에 맞는 일이다. 적성에 맞는 일을 해야 보람을 느끼며 오래할 수 있고 성공률이 높아지며 행복을 누리기 쉽다. 보수가 우선이면 안 된다. 자기가 좋아하는 일을 누구보다도 잘할 수 있으면 성공은 보장된다.

고생하지 않고 처음부터 남이 부러워하는 직종과 직책을 누구나 원하므로 일자리가 없다. 체력은 제대로 키우지 못하고 곧 잊어버리고 써먹기 어려운 이론과 학문을 배우는 데 세월을 다 보낸다. 실제로 실생활과 만나게 되면 아는 것도, 할 수 있는 일도 별로 없고, 일을 해도 만족하기 어려우며 체력도 모자라므로 무능한 고학력 실업자로 전락하게 된다. 많은 젊은이들이 우울증에 시달리며 원망하는 삶을 살게 되고 우울한 생을 마감하게 된다. 행복감을 누리기 어렵고 세상이 살아볼 만 하다고 느끼지 못한다. 내 탓임을 모르고 남의 탓으로 간주한다. 어떠한 일이 생겨도 현명하게 일을 처리하는 연습을 해야 한다. 자기의 직업에 만족하고 보람을 느낄 수 있도록 모두가 협력하고 도와야 행복지수가 높아진다.

사회나 부모의 교육 방법에 문제가 있어 어려움을 겪는 실업자가 양산되는 현실이다. 우리의 교육은 어릴 때부터 정해진 틀 안에서 남들과 경쟁하는 법만 배우고 대학입시에 대비하는 인상을 준다. 초등학생 시절부터 중·고등학교를 마칠 때까지 오래하기도 힘들며 몸을 움직이는 일도 적어지므로 건강과 수명을 보상받기 어려운 경우가 많다. 젊었을 때 일을 열심히 하고 나이 들어서는 편하게 쉬어야 한다는 생각은 잘못이다. 인간은 일을 하지 않으면 소멸의 길을 가야 하므로 죽을 때까지 몸을 움직이며 일을 해야 한다. 따라서 자기가 행복을 누리고 보람을 느끼고 오래할 수 있고 좋아하는 일을 해야 한다. 오래할수록 전문가로서 관록貫祿이 붙을 수 있고 존경받으며 장인이나 달인이 될 수 있다면 더 좋다.

모든 동물은 성체가 되면 부모 곁을 떠나 독립적인 삶을 살아간다. 우리의 조상들은 부모의 곁과 고향은 일찍 떠날수록 성공이 빠르다고 생각했다. 나이 들어 뒤돌아보면 자신의 삶은 부모가 하라는 대로 살아온 것이 아니다. 태어날 때부터 삶의 목표가 주어지는 것 같다. 후회되는 일도 더러 있지만 직업을 포함해 하는 일이 모두 운명적인 것 같은 생각이 든다. 평생 동안의 경험이나 어떤 사건도 서로 관련이 있으며 인과응보라는 생각이 든다. 자기의 삶의 목표는 부모가 만들어주는 것이 아니며 태어날 때부터 갖고 태어난다. 전생의 영혼의 양기의 순도를 갖고 나오기 때문이다.

자식은 자식대로 자기에게 맞는 삶을 살아가야 한다. 누구 때문이라고 후회해도 소용이 없다. 삶에 대한 책임과 십자가는 자기가 져야 한다. 자식에게 지워진 십자가를 내려 주려 하면 안 된다. 개인에게 지워진 십자가는 하늘이 내리는 천명이며 사명이며 견디고 극복해야 하는 대상이며 벗어버릴 대상이 아니다. 태어나서 반드시 본인이 넘어야 할 산이다. 영계로 돌아갈 때 보호자와 대동하는 것도 아니다. 자신의 영이 스스로 평가해 사랑의 실적대로 간다. 사랑과 양기의 순도와 일치하는 차원에 스스로 머문다.

부모는 자식을 잘 키우고 지도하여 훌륭한 삶을 살아가도록 도움을 줌으로서 사랑의 실적을 얻는다. 자식을 위하여 한도 끝도 없이 헌신적으로 사랑을 베푼다. 사랑의 실적은 부모의 것이지 결코 자식에게 가는 것이 아니다. 잘 못해 주면 부모의 사랑의 실적이 떨어지므로 부모는 온갖 희생을 무릅쓰고 자식에게 헌신적이 된다. 줌으로서 받기 때문이다.

자식은 오히려 사랑을 받았으므로 사랑의 실적에서 그만큼 감점을 받는다. 자식에 대한 과잉 사랑은 오히려 자식의 삶을 망치기 쉽다. 부모 된 사람들의 가장 큰 어리석음은 자식을 자랑거리로 만들고자 함이다. 부모 된 사람들의 가장 지혜로움은 자신들의 삶이 자식들의 자랑거리가 되는 것이다.

부모는 자식의 삶을 대신 살아줄 수 없다. 언제나 줌으로서 받는다. 자식은 자신의 실적으로 평가받는다. 그러므로 자식이 사랑의 실적을 크게 받을 수 있도록 처음부터 잘 지도하고 이끌어 주어야 한다. 고기를 잡아 주는 것보다 고기를 낚는 법을 가르치는 것이 효과적이다. 부모의 입장이 아니라 인생 선배의 입장이 되어야 한다. 사랑을 나누고 베푸는 방법을 가르쳐야 사랑의 에너지를 되돌려 받기가 쉬워진다. 영혼이 활동하고 양심과 이성이 작동되는 삶을 살도록 지도해야 한다.

열심히 뛰어다니다 보면 자기의 능력대로 할 일이 생긴다. 뛰어다녀야 경험도 풍부해지고 체력도 생긴다. 젊어서부터 육체적인 고생도 하고 눈물 젖은 빵도 먹어보아야 인생을 알게 되어 철이 난다. 반쯤 죽어보면 철이 난다. 젊었을 때 고생은 사서도 한다. 고생을 해야 몸과 마음이 단련되어 면역력과 적응력이 생긴다. 아픔도 겪어보아야 각성하는 계기가 된다. 실패도 해 보아야 성공률이 높아진다. 작은 실패라도 경험해야 큰 실패를 하지 않는다. 실패와 아픔을 계단 삼아 올라가야 목표에 이른다. 인생은 결코 로또 당첨이 아니다. 복은 받는 것이 아니라 자기가 행한 대가로, 인과응보로 얻어지는 것이다. 세상에 공짜는 없고 부모가 대신 살아줄 수도 없다.

직업의 선택은 보수가 우선이면 안 된다. 보다 자기가 좋아해 오래 할 수 있고 누구보다 잘할 수 있고 자랑스러우며 보람을 느끼며 후회하지 않으며 행복을 누릴 수 있는지에 초점이 맞춰져야 한다. 인간은 나이 들어 늙어 죽을 때까지 자기가 좋아하는 일을 열심히 할 수 있으면 행복한 사람이다.

작은 일이라도 일을 함으로서 보람을 느끼고 남을 위하여 누구보다 잘할 수 있다면 행복은 보장된다. 우리의 초등 교육의 방법은 자연으로 되돌아가도록 개선되어야 한다. 가정에서 개인적으로 할 수 없는 체험 교육이 주가 되어야 한다. 근본적으로 부모의 생각부터 바꾸어야 한다.

건전한 정신 건전한 몸

사람이 할 일이 없으면 경락이 닫힌 생활을 하게 된다. 경락이 닫히면 사랑의 에너지를 받지 못해 일찍부터 성인병에 시달린다.

운동이 부족하면 비만이 되기 쉽다. 일자리가 없는 고학력자일수록 운동이나 휴식을 제대로 즐기지 못한다. 휴식은 일하는 사람에게 필요하다. 일을 열심히 잘하는 사람에게 진정한 효과가 난다. 일하지 않는 사람에게는 휴식도 경락이 닫히는 행위가 되어 체력이 소모된다.

2010년도 우리나라 20세 이상 성인의 비만율은 남자가

31.5%, 여자가 26.5%라 한다. 30세 이상 성인의 비만율은 34%이며, 관리직, 전문직, 서비스 판매직에서는 39.9%, 사무직에서는 38.8%, 기능직, 조립직에서는 40.8%라 한다. 장래의 건강 상태를 예고하는 수치이다. 비만이 되면 기의 순환 능력이 떨어져 각종 성인병이 조기에 나타나기 쉽다.

비만이면 조금만 움직여도 숨을 헐떡인다. 힘든 일을 할 때 숨을 멈추어 활성산소의 생성이 증가한다. 활성산소에 가장 민감한 혈관을 이루는 내피 세포와 뇌세포가 죽어 문제를 일으킨다. 비만이 질병이 되는 이유이다. 비만은 생체전기의 흐름에 저항을 주어 기 순환 능력을 떨어뜨려 질병으로 이어진다.

비만이 되면 체중을 효과적으로 지탱하기 위하여 발이 벌어져 팔자걸음을 걷게 된다. 팔자걸음은 체형의 변형을 야기하며 양기의 흡수를 방해하므로 혈압을 올리며 노화를 촉진한다. 척추와 자세가 바로 유지되도록 언제나 신경을 써야 한다. 발과 다리의 변형은 체형을 변화시키고 기 순환을 막아 노화와 질병의 근원이 된다. 노인이 되어갈수록 무릎, 허리, 목, 어깨 등 퇴행성 질환으로 고생하게 된다. 뿐만 아니라 기 순환이 되지 못하면 뇌세포와 혈관을 이루는 내피세포를 죽이므로 각종 성인병과 정신질환을 야기하고 파킨슨질환이나 치매환자를 양산한다.

성인이 되어 고혈압과 당뇨로 시달리는 인구가 1천만에 달한다고 한다. 세계 노인 인구의 3분의 1이 고혈압으로 시달린다고 한다. 운동 부족으로 사랑의 에너지를 그만큼 받지 못했다는 의미이다. 모든 성인병은 사랑의 에너지 부족으로 생긴다. 요즈음은 평생 살아가면서 세 사람 중 한 사람은 암에 걸린다고 한다. 모두 사랑의 에너지가 공급되지 못해 이루어지는 현상이다. 사랑의 에너지로 치유되지 않는 질환은 없다.

노인 세대의 급증으로 인한 노인복지 문제로 국가는 어려움에 처해 있다. 의료보험 재정이 더욱 어려워질 것이다. 노인이 되어도 영혼은 늙지 않으므로 노인에게도 경락을 여는 방법을 교육시키면 건강이 좋아지고 노동력이 회복될 수 있다. 보험재정에도 도움을 주고, 일을 하게 함으로써 건강과 행복을 증진시키는 지름길이 될 것이다. 살 만한 세상으로 바뀌면 출산율은 저절로 향상될 것이니 출산율을 높이려는 노력보다 살 만한 세상으로 바꾸는 것이 최선의 정책이다.

2006년도 보건복지부 조사에 의하면 한 가지 이상의 정신질환을 경험한 인구 비율은 30.9%라 한다. 남자 38.2%, 여자 21.7%로 남자가 1.8배 높게 나타난다. 그만큼 사랑과 멀어지고 사랑의 에너지를 받지 못해 행복하지 못했다는 의미이다. 2009년도에 미국 성인 5명 중 1명이 정신질환을 경험했다고

야 성공으로 올라간다. 영혼이 활동하므로 신의 경지에 도달한
다고 말한다. 영혼이 활동해 경락이 열리므로 체력도 생기고
자신감도 생겨 가능하지 않던 일도 가능하게 바꾸는 능력이 생
긴다. 개인에게는 희로애락과 생로병사의 현상으로 나타나고
기업이나 단체, 국가, 문화에는 흥망성쇠로 나타난다.

사랑을 배우고 실천하여 실적을 올릴수록 사랑의 에너지를
받아 건강과 젊음, 기쁨과 행복, 번영과 성공을 이루고 영생으
로 이어진다. 인간의 삶은 사랑을 나누고 베푸는 삶이며 지구
상 모든 인간은 영생을 함께 누릴 영혼을 소유한 이웃이다.

우리 마을 사랑운동

우주 만물이 생성되고 소멸되는 원리는 동일하다. 창조주가
사랑의 에너지를 운행하는 원리가 사랑의 법칙이며 자연법칙
이며 인과법칙이다. 피조물인 별과 생명체는 물론 인간 개인이
나 기업, 단체, 국가, 사회, 문화에서도 동일하게 적용되어 개
인에게는 희로애락과 생로병사의 현상으로 나타나고 단체나
기업, 국가, 사회, 문화에서는 흥망성쇠의 현상으로 나타난다.

창조주의 뜻에 일치할 때 번성하고 어긋날 때 위축되고 소멸

된다. 사랑의 에너지를 받으면 생성되고 받지 못하면 위축되고 소멸된다. 모두 창조주의 뜻에 의하여 만들어진 피조물이며 피조물로 인하여 나타나는 현상이기 때문이다.

인간 사회도 서로 협력·상생·공생하며 통합될 수 있을 때 번창한다. 인간이 지구라는 별에서 생존에 성공한 것은 오로지 인간이 사회적으로 협력하는 존재이기 때문이다. 모든 구성원이 하나가 되어 사랑의 법칙에 따를 때 번창하고 행복을 누린다. 자기의 이익만을 챙기려 하고 욕심을 채우려 하면 소멸의 길을 간다. 편을 가르고 자기편의 이익만 추구하면 소멸의 길을 간다. 나의 욕심만 채우려 하면 소멸로 이어진다. 협력하며 나누고 베푸는 삶을 살아야 한다.

인생길은 외롭고 험난해 나 혼자만 갈 수 있는 길이 아니다. 서로 돕고 화목하고 협력하여 공생하며 이웃을 내 몸같이 사랑해 함께 가야 한다. 모두가 함께 영생을 누릴 이웃이다. 학문이든 과학이든 이웃이 협력의 대상일 때 크게 발전할 수 있다. 지구촌의 모든 인간은 이웃이며 사랑의 실적을 얻어 영생을 누리기 위하여 지구상의 사랑의 연수원에 입소한 학생이며 선후배이거나 동창생들이다. 이웃을 내 몸같이 사랑해야 하는 이유이다. 가장 가까운 이웃은 가족이다. 가족이 모두 평안하면 나라도 평안해진다. 사랑을 배우고 서로 돕고 나누며 베풀어 사랑을 실천하는 일을 해야 한다. 인성의 마음을 순화하여 천성으로 높이면 된다.

사랑의 실천 실적이 올라가면 사랑의 에너지를 되돌려 받아 기쁨과 행복이 온다. 실적이 오르지 못하면 슬픔과 고통이 온다. 기쁨과 행복은 나눌수록 커지고 슬픔과 고통은 나눌수록 작아진다. 사랑의 실적도 나누고 어려움도 나누어 협력하며 서로 돕고 상생하라는 의미이다.

새로운 시대를 맞아 우리는 개인적인 차원이 아니라 국가적인 차원으로 사랑을 나누는 운동을 지역적으로 특성을 살려 시행하면 창조경제와 함께 도약의 발판이 될 것이다. 어려운 시절에 서로 돕고 협력하는 '새마을 운동'은 우리나라의 근대화에 큰 역할을 했다. 발전되고 풍요로운 사회가 되었지만 새마을 운동을 발전시켜 '우리 마을 사랑운동'으로 전개하면 더 큰 발전으로 이어질 것이다.

물질문명이 발전하고 풍요로운 현대의 도시 사회는 '나 홀로 살아가며 이웃이 존재하지 않는 세상'으로 변해간다. 십 년을 이웃에 살면서도 누군가 알지도 못하며 인사도 없이 살아간다. 이웃의 주검이 몇 달이 지나 백골이 된 후에 발견되는 일이 생기는 일조차 생겨난다.

마음의 문을 열고 이웃을 초대해야 한다. 이웃이 이웃으로 발전하고 서로 소통하며 존재할 수 있어야 한다. 이를 위하여 우선 이웃과의 담장을 없애야 한다. 공공기관이나 관공서부터 담장 없애기 운동이 전개되면 좋을 것이다. 자연의 소통을 위하여 콘크리트 담장을 없애고 필요하다면 나무를 심어 자연을 살려야 한다.

이웃은 경쟁의 대상이 아니다. 서로 협력하고 돕고 나누고 베풀어야 하는 대상이다. 이웃과 더불어 사는 법을 배우고 가르치고 전파해야 한다. 이웃과 더불어 사는 법을 배워야 한다. 노인 사회가 되어 갈수록 더하다. 작은 것을 서로 나누고 베풀 때 사랑을 깨닫는다. 서로 돕고 베풀고 나눌 때 이웃에서 살아가는 사람들에 대한 감동이 생기며 인생은 살아볼 만하고 아름답다는 결론에 도달하며 행복감을 얻는다. 인간이 인간답게 살아가는 것이며 인간에 대한 사랑과 신뢰라는 아름다움으로 이어질 수 있다.

'우리 마을 사랑운동'은 이웃을 만들고 이웃과 함께 세계화를 주도하는 계기가 될 것이다. 사랑의 에너지를 경쟁적으로 서로 나누게 함으로써 건강을 증진시키고 행복을 키우고 생성과 번영으로 이어질 수 있기 때문이다. 작은 사랑도 합쳐지면 큰 사랑으로 발전한다. 개인적으로 가능하지 않던 힘든 일도 여럿이 힘을 합치면 큰 일이 가능해진다. 새마을 운동이 '우리 마을 사랑운동'과 함께할 때 비약적인 발전이 가능할 것이다. 자랑스럽고 살 만한 마을로 탈바꿈할 수 있을 것이다. 더군다나 노인의 비율이 높게 증가하는 사회의 행복지수를 높이기 위한 근본 대비책도 될 수 있다.

사랑을 나누고 베푸는 운동을 생활화함으로써 행복지수를 높이고 발전의 기반을 다지게 될 것이다. 건강 상태가 호전될 것이므로 의료보험 재정에도 크게 도움을 줄 것이다. 노령 사회를 이끌어가는 원동력이 될 것이다. 남북통일도 온 국민의 마음이 일치해야 이루어질 수 있다. 온 국민의 마음이 일치하면 한강의 기적은 다시 일어날 수 있다. '우리 마을 사랑운동'은 우리 마을을 자랑거리로 만들고 살맛나는 고장으로 변화시킬 수 있을 것이다. 남북통일뿐 아니라 세계화와 지구촌을 하나로 만드는 밑거름이 될 것이다. 무엇보다 인류의 건강과 행복지수를 높일 것이다.

체력과 행복을 키우는 인간의 삶

2016년 2월 15일 초판 1쇄 인쇄
2016년 2월 20일 초판 1쇄 발행

지은이 / 안상규
펴낸이 / 안상규
펴낸곳 / 도서출판 도곡

주 소 / 06205 서울 강남구 도곡로 63길 25, 5층(대치동, 서진빌딩)
전 화 / 02-552-7660
이메일 / dogokbooks@daum.net
해외연락처 / vsahn@hotmail.com
등록번호 / 제 2013-000056
등록일자 / 2013년 02월 21

ISBN 979-11-951324-1-6   03690